Le Club des Cinq en embuscade

Enid Blyton™

Le Club des Cinq en embuscade

Illustrations
Frédéric Rébéna

hachette
JEUNESSE

Claude

11 ans.
Leur cousine. Avec son fidèle chien
Dagobert, elle est de toutes
les aventures.
En vrai garçon manqué,
elle est imbattable dans tous
les sports et elle ne pleure
jamais… ou presque !

François

12 ans
L'aîné des enfants,
le plus raisonnable aussi.
Grâce à son redoutable sens
de l'orientation, il peut explorer
n'importe quel souterrain sans jamais se perdre !

Mick

11 ans comme Claude.
C'est un casse-cou (un gourmand aussi !)
qui n'hésite jamais avant de se lancer
dans les plus périlleuses aventures…

Annie

10 ans
La plus jeune, un peu gaffeuse,
un peu froussarde !
Mais elle finit toujours par
participer aux enquêtes,
même quand il faut affronter
de dangereux malfaiteurs…

Dagobert

Sans lui, le Club des Cinq ne serait rien !
C'est un compagnon hors pair, qui peut monter
la garde et effrayer les bandits.
Mais surtout c'est le plus attachant des chiens…

L'ÉDITION ORIGINALE DE CET OUVRAGE A PARU EN LANGUE ANGLAISE
CHEZ HODDER & STOUGHTON, LONDRES,
SOUS LE TITRE :

FIVE ARE TOGETHER AGAIN

© Hodder & Stoughton, 1963.
© Hachette, 1978, 1988, 2010 pour la présente édition.
Traduction revue par Rosalind Elland-Goldsmith

chapitre 1

Le Club des Cinq en vacances

— Claude ! Reste tranquille une minute ! s'écrie François. Déjà que le train n'arrête pas de secouer, pas la peine que tu m'écrases en te penchant pour regarder le paysage.

— On approche ! répond sa cousine d'un air heureux. Je reconnais les prés et les champs. Bientôt, on sera à Kernach... presque à la maison ! Je n'arrive pas à tenir en place. J'ai hâte de retrouver maman et papa, et aussi mon Dagobert adoré ! Si vous saviez, mon chien m'a tellement manqué ce trimestre ! Vous pensez qu'il viendra nous attendre à la gare ?

— Quand même ! jette Mick. Dagobert est intelligent, d'accord, mais pas au point de savoir lire l'heure de notre train.

— Il n'a pas besoin de lire, riposte Claude. Il sait toujours quand je reviens à la maison !

— Ça, c'est vrai ! confirme Annie avec gravité. D'après ta mère, à chaque fois que tu rentres aux *Mouettes* pour passer les vacances, Dago le devine d'instinct. Il n'arrête pas de gémir et de courir au portail pour surveiller la route.

— Mon Dag ! soupire Claude en trébuchant une fois de plus sur les pieds de François. Ah ! Cette fois-ci, on arrive ! Regardez ! On aperçoit la gare !

François, Mick et Annie Gauthier regardent leur cousine avec un air amusé. Claude est surexcitée à l'idée de retrouver ses parents, M. et Mme Dorsel, et aussi son fidèle compagnon, Dagobert. François sourit : ce jour-là, sa cousine a plus que jamais l'air d'un garçon avec ses cheveux sombres et bouclés coupés très court.

— Kernach ! On est à Kernach ! crie Claude déchaînée. Voilà Pierre. Hé ! Pierre ! On est là ! Vive les vacances !

Le convoi ralentit et s'arrête. Le vieux Pierre, le seul employé de la petite gare, agite la main en signe de bienvenue et sourit à Claude : il la connaît presque depuis sa naissance. Claude ouvre la portière et saute sur le quai.

— Enfin arrivés ! s'écrie-t-elle. Tiens ! Je ne vois pas Dagobert...

— Je t'avais dit que tu te faisais des films ! murmure Mick, un brin moqueur.

8

Claude fronce les sourcils. Mais déjà le vieux Pierre s'avance, souriant, pour accueillir les enfants. Tout le monde, à Kernach, connaît le Club des Cinq.

Pierre a vite fait d'empiler les bagages des jeunes voyageurs sur son petit chariot.

— Alors... ce trimestre ? demande-t-il. Il a été bon ?

— Excellent ! répond Mick. Mais il nous a paru long : Pâques tombe très tard cette année.

Claude regarde autour d'elle d'un air inquiet. Pourquoi Dagobert n'est-il pas là ? La dernière fois, l'animal s'est échappé de la *Villa des Mouettes* pour venir l'attendre. Alors elle s'est persuadée qu'il ferait de même cette fois-ci...

— Tu crois qu'il est malade ? demande-t-elle à Mick. Ou qu'il m'a oubliée ?

— Mais non ! dit Mick. Inutile de t'inquiéter. À mon avis, il n'a pas pu s'échapper pour venir à ta rencontre, c'est tout !

Mais Claude a un mauvais pressentiment. Maintenant, elle est convaincue que le pauvre Dago est malade ou qu'il a eu un accident. Son seul espoir, c'est que Sylvie, la cuisinière, l'ait attaché dans sa niche.

Finalement, elle ne peut plus tenir.

— Écoutez, dit-elle à ses cousins. Plutôt que d'aller à la maison à pied, je vais prendre un taxi.

— Oh ! Claude ! Le chemin est si joli d'ici aux

9

Mouettes ! dit Annie. D'habitude, tu adores marcher. Et puis tu peux voir ton île, l'île de Kernach, du sommet de la falaise. Elle est si belle au milieu de la baie ! C'est dommage, de manquer cette promenade…

Mais Claude ne veut rien entendre.

— Je vais prendre un taxi, répète-t-elle. Si vous voulez, vous pouvez venir avec moi. Je veux me dépêcher pour voir Dagobert.

— D'accord, soupire François. Fais comme tu veux. Mais je suis persuadé que Dag va parfaitement bien. File devant. Nous, on ira à pied. À tout à l'heure !

François, Mick et Annie se mettent en route pour la *Villa des Mouettes.* Ils ont envie de se dégourdir les jambes et de contempler la campagne aux alentours. Pendant ce temps, Claude se précipite vers la station de taxis.

Annie, qui pense à l'île de Kernach, demande à ses frères :

— Vous ne trouvez pas que Claude a de la chance d'avoir une île rien qu'à elle ? Dire que cette île appartenait à sa famille depuis des siècles, et qu'un beau jour tante Cécile lui en a fait cadeau !

— Enfin, tempère l'aîné des Cinq, je crois que Claude a dû supplier sa mère jusqu'à ce qu'elle cède !

— Ça ne m'étonne pas d'elle, s'amuse Mick.

Dites, j'espère quand même qu'il n'est rien arrivé à Dagobert. Ça gâcherait toutes nos vacances.

— S'il est malade, fait remarquer François avec malice, vous pouvez compter sur Claude pour aller partager sa niche, histoire de mieux le soigner... Ah ! Regardez ! Voilà la baie de Kernach et la petite île au milieu !

— Vous entendez les mouettes ? enchaîne Annie. On dirait des chats qui se disputent.

Au même instant, le taxi qui emporte Claude dépasse le trio à toute allure.

— Vous avez vu ? s'exclame Mick en riant. Je suis presque certain qu'elle criait au chauffeur d'aller encore plus vite !

Tout en longeant le chemin de la falaise, François, Mick et Annie ne se lassent pas d'admirer le spectacle de la baie. La mer est d'un bleu-vert scintillant, et la silhouette du vieux château se découpe sur un ciel sans nuages.

— Il tient toujours debout ! constate François. Pas une pierre n'a bougé depuis la dernière fois qu'on l'a vu !

— Comment tu peux t'en rendre compte à cette distance ? questionne Annie en riant. Il te faudrait des jumelles à la place des yeux !

Continuant à bavarder, Annie et les deux garçons avancent d'un bon pas.

— On arrive ! annonce soudain Mick. J'aperçois

11

les *Mouettes* là-bas. Tous les volets sont ouverts…
sauf ceux du bureau d'oncle Henri !

— Bizarre… commente son frère, intrigué. Un
savant a pourtant besoin de la lumière du jour pour
mener ses expériences...

— Il n'est peut-être pas là ? suggère Annie,
pleine d'espoir.

Bien sûr, la benjamine du groupe aime beaucoup
son oncle Henri, mais, comme celui-ci est souvent
de mauvaise humeur, il l'effraie un peu.

— Après tout, poursuit-elle, il a besoin de prendre des vacances de temps en temps, lui aussi. Ce
doit être tellement fatigant, tous ces chiffres !

— En tout cas, s'il est là, espérons qu'on ne le
dérangera pas trop ! soupire François. C'est pénible
pour tante Cécile quand il se met en colère. On
passera autant de temps que possible dans le jardin
ou en excursion pour ne pas le troubler dans ses
calculs.

Le trio atteint enfin la maison. Juste au moment
où ils franchissent le portail, François, Mick et
Annie voient Claude arriver vers eux en courant.
Mais ils sont stupéfaits de s'apercevoir qu'elle
pleure !

— Oh ! murmure François, alarmé. Finalement,
Dag est peut-être bien malade ! C'est la première
fois que je vois Claude dans cet état !

D'un même élan, les trois enfants se précipitent
à la rencontre de leur cousine.

— Claude ! Claude ! Qu'est-ce qui se passe ? interroge Annie. Où est Dagobert ? Il a eu un accident ?

— On ne peut pas rester à la maison ! annonce Claude sans répondre directement à la question. On doit passer nos vacances ailleurs !

— Mais pourquoi ? Explique vite ! la presse Mick, à la fois impatient de savoir et un peu effrayé. Dago a été écrasé par une voiture ?...

— Ce n'est pas ça ! coupe sa cousine sans arrêter de pleurer. C'est Sylvie...

— Quoi ? Sylvie a été écrasée ? s'écrie François, qui aime beaucoup la cuisinière.

Claude essuie ses larmes d'un revers de main.

— Mais non, que tu es bête ! réplique-t-elle. Sylvie a la grippe ! Du coup, on ne peut pas rester aux *Mouettes* !

— Ne t'inquiète pas, la rassure Mick. La grippe, ce n'est pas une maladie grave…

— Peut-être, poursuit Claude, mais c'est contagieux ! Maman ne m'a même pas permis de passer la porte d'entrée. Elle m'a crié par la fenêtre d'attendre dans le jardin. Une ambulance va arriver d'une minute à l'autre pour conduire Sylvie chez sa sœur.

Au même instant, la voix de Mme Dorsel s'élève :

— Vous êtes tous là, les enfants ?

François, Mick et Annie s'avancent, suivis de

13

Claude. Ils aperçoivent leur tante à la fenêtre de la salle à manger.

— Écoutez, leur dit-elle. Sylvie a la grippe. Elle va aller se reposer chez sa sœur. Mais, comme le virus est très contagieux, il vaut mieux que personne n'approche de la maison. Votre oncle et moi, nous sommes sans doute déjà contaminés, mais il ne faudrait pas que vous l'attrapiez vous aussi !

— Oh ! s'écrie Claude, effrayée. Et Dago, il doit aussi rester à l'écart ?

— Bien sûr que non ! Les chiens n'attrapent pas les maladies des humains. Tu peux aller le voir si tu veux. Il est dans sa niche.

À cette bonne nouvelle, le visage de Claude s'éclaire. Elle part en courant et contourne la maison, tout en appelant son chien à pleine voix. Des aboiements frénétiques lui répondent aussitôt.

— Tante Cécile, demande François, qu'est-ce qu'on doit faire ? Tu dis qu'on ne peut pas rester ici pour les vacances, mais on ne peut pas non plus rentrer à la maison. Papa et maman sont en voyage en Allemagne.

— Je sais. J'ai pensé à autre chose pour vous, explique Mme Dorsel.

Sa voix est soudain couverte par des aboiements tonitruants.

— Eh bien ! s'exclame-t-elle. Quel vacarme ! Claude a dû détacher Dago ! Je plains notre pauvre Sylvie. Elle qui a un affreux mal de tête…

14

— Voilà l'ambulance ! annonce Annie.

En effet, une camionnette blanche vient de franchir la barrière et remonte l'allée, juste assez large pour elle. Mme Dorsel disparaît à l'intérieur de la maison pour prévenir Sylvie. Celle-ci sort quelques minutes plus tard, enveloppée dans un grand châle en laine. Elle est pâle et ses yeux sont vitreux. Au passage, elle esquisse un sourire aux enfants.

— Je serai bientôt de retour, murmure-t-elle d'une voix faible.

— Dépêche-toi de guérir ! répond Annie, très émue. On a hâte de te retrouver.

Quand le véhicule a disparu au loin, Mick se tourne vers son frère.

— Alors, qu'est-ce qu'on fait ? On ne peut pas rester ici et on ne peut pas non plus rentrer chez nous... Ah ! Voilà Dagobert ! Salut, Dag ! Hé ! Doucement ! Ne me fais pas tomber ! Bas les pattes ! Et ne me lèche pas comme ça !

Mais le chien est trop heureux pour arrêter de faire le fou. Il est d'ailleurs le seul des Cinq à se sentir joyeux. Pour ses amis, les vacances commencent mal ! S'ils ne séjournent pas aux *Mouettes*, ils ne pourront pas aller se promener sur l'île de Kernach ni pique-niquer parmi les ruines du vieux château ! Que vont-ils devenir ?

chapitre 2

Une grande décision

Claude se sent désemparée.

— Tant pis, je vais rejoindre maman ! déclare-t-elle. Je n'ai pas peur de la grippe, moi !

François l'empoigne par le bras.

— Non, décide-t-il. À quoi ça servirait que tu tombes malade, toi aussi ?

Mais Claude garde son air sombre et essaie d'échapper à l'étreinte de son cousin. Celui-ci a du mal à la retenir. Alors, il a une idée. Il prend un air triste et constate en soupirant :

— Vraiment, tu te conduis comme une petite fille pleurnicheuse. Pauvre Claudine ! Pauvre Claudinette !

Claude se ressaisit immédiatement. Elle arrête de renifler et jette un coup d'œil furieux à François.

S'il y a quelque chose qu'elle déteste par-dessus tout, c'est d'être traitée de fille, et encore plus de fille pleurnicheuse ! Elle a aussi horreur d'être appelée par son vrai prénom de Claudine. Alors, « Claudinette », elle ne supporte vraiment pas !

Elle donne une bourrade à François, et celui-ci, en riant, brandit les poignets pour se défendre.

— Voilà, c'est mieux ! s'écrie-t-il. Regarde un peu Dagobert ! Il fait les gros yeux. C'est la première fois qu'il te voit pleurer...

— Je ne pleure pas ! réplique Claude d'un air rageur. Je... j'ai seulement de la peine à cause de Sylvie. Et puis... parce qu'on ne sait pas où aller !

— Tante Cécile est en train de téléphoner, intervient soudain Annie. Elle cherche peut-être une solution ?

Tout en parlant, elle caresse la tête de Dagobert qui lui lèche la main.

— Oui, sans doute, acquiesce François. Installons-nous dans le jardin en attendant qu'elle nous fasse signe. Je suis sûr qu'elle va trouver quelque chose... Dago ! Arrête de me lécher le cou comme ça ! D'ici une minute, je serai obligé de te demander d'aller me chercher une serviette pour me sécher !

Tout le monde sourit. L'atmosphère se détend un peu. Tous quatre s'étendent sur la pelouse. Dago va de l'un à l'autre, demandant des caresses. Il est si content de voir ses amis réunis de nouveau ! Il finit pourtant par se tenir tranquille et s'allonge à son tour, la tête sur les genoux de Claude.

— Je n'entends plus la voix de tante Cécile ! annonce Annie. Elle a dû raccrocher.

— Oui, la voilà à la fenêtre ! s'exclame Claude en sautant debout, tandis que Mme Dorsel apparaît derrière le carreau.

— Tout va bien ! déclare sa mère. J'ai trouvé un arrangement pour vous. Vous vous souvenez du professeur Lagarde ? Un savant qui travaille quelquefois avec ton père, Claude. Il devait venir passer un ou deux jours aux *Mouettes* et, quand je l'ai décommandé, en lui expliquant la situation, il a tout de suite proposé de vous recevoir chez lui. Il a ajouté que son fils Pilou serait ravi d'avoir de la compagnie. Vous n'avez pas oublié Pilou, j'imagine ?

— Pilou ! Oui, oui, je me souviens de lui… et de son singe ! s'écrie Mick. Il est propriétaire d'un vieux phare au cap des Tempêtes, où on passé des vacances avec lui. Ça nous a valu une aventure incroyable, d'ailleurs[1]…

— Eh bien, coupe Mme Dorsel toujours à la fenêtre, cette fois-ci, ce n'est pas dans le phare que vous logerez. Il a été endommagé au cours d'une nuit de tempête et plus personne ne peut l'habiter pour le moment.

---

1. Voir *La boussole du Club des Cinq*, dans la même collection.

— Alors, on ira où ? demande Mick. Chez le professeur Lagarde ?

— Exactement ! Il habite à deux pas du cap des Tempêtes, à Saint-Flavien. Sa villa s'appelle *Le Grand Large*. Ce n'est pas loin d'ici. Vous pourrez y aller en car. Il faut que vous partiez dès aujourd'hui. Je suis aussi désolée que vous, mais je crois que c'est plus sûr. Je suis persuadée que vous vous amuserez bien avec Pilou et son petit singe... comment s'appelle-t-il déjà ?

— Berlingot ! s'écrient les enfants en chœur, tandis qu'Annie sourit à la perspective de retrouver la petite créature malicieuse.

— Le car passe dans dix minutes. Allez l'attendre au bord de la route. Ne vous inquiétez pas pour nous : la grippe, c'est désagréable, mais ce n'est pas méchant ! Soyez sages avec M. Lagarde. Et maintenant, filez !

— Merci, tante Cécile. Tu peux compter sur nous, assure François. À bientôt !

Claude et ses cousins tournent aussitôt les talons.

— Annie, va sur le trottoir et arrête le car quand il arrivera, ordonne François. Toi, Mick, aide-moi à transporter les bagages.

— Je sens qu'on va passer de bonnes vacances avec Pilou ! déclare son frère. À mon avis, on ne s'ennuiera pas !

— Tu parles, bougonne Claude. J'aime bien

Pilou, il est sympa et son petit singe est drôle. Mais rappelez-vous comme c'était pénible, quand il était ici avec son père ! Le professeur Lagarde oubliait tout le temps l'heure des repas. Il perdait ses lunettes, son mouchoir, son portefeuille... et il s'énervait souvent. Je ne pouvais plus le supporter.

— Lui aussi, d'ailleurs, il nous supportait difficilement, fait remarquer François. Il n'appréciait pas de devoir cohabiter avec cinq enfants déchaînés... Il faut dire que Pilou, à lui tout seul, faisait autant de bruit que nous quatre. Sans parler de Berlingot et de Dagobert qui se pourchassaient tout le temps.

— N'empêche, marmonne Claude en caressant son chien, ça ne me plaît pas d'aller m'installer chez Pilou.

— Fais un effort, Claude, réagit Mick. C'est quand même gentil de la part de M. Lagarde de nous héberger. D'ailleurs, on essaiera d'être le plus obéissants possible. Ah ! Voilà le car... Dépêchons-nous ! J'espère qu'il y aura des places pour nous tous.

Annie fait signe au conducteur. Celui-ci, après avoir arrêté son véhicule, aide les enfants à charger leurs bagages.

— Vous retournez déjà à l'école ? demande-t-il d'un air surpris. Je croyais que les vacances ne faisaient que commencer !

21

— Exact, répond Mick, mais on va les passer à Saint-Flavien. Votre car y va bien ?

— Oui, confirme le chauffeur en transportant trois valises à la fois, sous le regard admiratif de François. Et où allez-vous loger, là-bas ?

— Au *Grand Large*, la villa du professeur Lagarde, explique Claude.

— Je la connais. Je passe juste devant. Pour vous éviter de porter ces valises, je vous déposerai à la grille de la propriété... En tout cas, je vous souhaite bon courage pour cohabiter avec M. Lagarde. Ce n'est pas pour dire du mal de lui, mais il est un peu bizarre. Il est colérique et très impatient.

— Bah ! rétorque Mick, il est surtout très distrait, comme tous les savants qui ont l'esprit encombré de tas de chiffres et de formules. La plupart des gens ont le cerveau qui travaille à une vitesse normale, mais ceux de notre oncle Henri et de M. Lagarde fonctionnent à cent à l'heure !

Avant de monter dans le car, les jeunes vacanciers se retournent pour faire signe à M. et Mme Dorsel, qui agitent la main à la fenêtre. Puis le car démarre en direction de l'ouest. La route longe la côte. François, Claude, Mick et Annie contemplent par la fenêtre la mer qui brille sous le soleil. Elle est d'un bleu magnifique. L'île de Kernach apparaît, au milieu de la baie.

— J'aurais préféré aller camper sur mon île ! soupire Claude. Et puis, j'aurais aussi aimé faire visiter mon domaine à Pilou. Lui, il a un phare, d'accord, mais je préfère encore posséder une île.

— Je suis d'accord, opine François.

— J'aimerais bien posséder une île, moi aussi ! renchérit Annie. Une toute petite, minuscule même, pour en faire très vite le tour... avec juste assez de place pour y vivre.

— Tu en aurais vite assez de vivre seule ! affirme Mick avec une bourrade affectueuse. Tu adores avoir des gens autour de toi ! Tu es une fille sociable.

— Aussi sociable que Dagobert ! fait remarquer François en riant. Regardez un peu son manège...

Très à l'aise dans le car, Dagobert s'est en effet rapproché d'un vieux monsieur et flaire avec insistance son sac de courses. L'homme se met à rire, caresse le chien et tire d'un sac en plastique deux gros biscuits qu'il lui offre. Dago sait se faire des amis partout ! Claude le gronde.

— Arrête de réclamer, Dago ! On va croire que tu es mal nourri !

Dagobert prend un petit air malheureux qui ne trompe personne, et revient s'asseoir sagement aux pieds de sa maîtresse. À chaque arrêt, quand un nouveau passager monte dans le car, il se lève poliment.

— Comme ce chien est bien élevé ! admire le chauffeur. Ah ! Les enfants, nous approchons.

23

Préparez-vous à descendre ! Je vous ferai passer vos bagages.

Moins de cinq minutes plus tard, le véhicule stoppe devant une très vaste propriété fermée par une barrière en bois. Les Cinq sautent sur la route, rassemblent leurs valises et remercient le chauffeur. Le car repart, et les voyageurs regardent par-dessus la barrière.

Une longue allée aboutit à une imposante demeure à moitié cachée par des arbres.

— *Le Grand Large !* murmure François. On est arrivés ! C'est drôlement silencieux... Et aucun signe de Pilou. J'espère qu'il sera content de nous voir. Allez, attrapez vos valises, et en avant !

La tour mystérieuse

Les quatre enfants et Dagobert s'engagent dans l'allée après avoir poussé la barrière. Le grincement du bois fait sursauter le chien.

— Ouah ! fait Dago, surpris.

— Chut ! dit Claude. Si tu commences à aboyer, tu risques d'énerver M. Lagarde. Tu sais bien qu'il déteste le bruit autant que papa.

Trottant sur les talons de sa maîtresse, l'animal suit la petite troupe jusqu'à la villa. C'est une étrange maison, avec très peu de fenêtres.

— On dirait que le professeur craint qu'on ne l'espionne de l'extérieur, murmure Annie. C'est sans doute parce que ses travaux sont très secrets…

— Oui, il est toujours plongé dans des calculs, comme oncle Henri, répond Mick. Pilou m'a raconté

25

un jour que son singe avait fourré dans sa bouche une page couverte de chiffres. M. Lagarde l'a pour- chassé pendant une heure pour sauver quelques morceaux de papier !

— Attention, Dag ! N'avale aucune feuille ! conclut François en riant.

— Il est trop intelligent pour faire ce genre de bêtise, affirme Claude en haussant les épaules.

— Vraiment ? s'écrie Annie avec un sourire. Dans ce cas, pourquoi est-ce qu'il a dévoré mes chaussons pendant les dernières vacances ?

— Ça n'a rien à voir ! s'exclame sa cousine. On l'avait enfermé dans ta chambre. Le pauvre, il s'ennuyait ! Tes pantoufles étaient une distraction, c'est tout.

— Ouah ! approuve Dagobert.

Et il donne un petit coup de langue à Annie, comme pour ajouter : « Excuse-moi, mais je n'ai pas pu résister à la tentation ! » Soudain, il se fige sur place en regardant avec obstination du côté d'un buisson. Il pousse un grondement sourd. Claude le saisit aussitôt par le collier.

— C'est peut-être une vipère, murmure-t-elle. Viens, Dago ! Ce genre de serpent venimeux peut te faire du mal.

Mais le chien continue à gronder. Tout à coup, il se tait et se met à renifler. Puis, poussant un petit cri, il se libère de l'étreinte de Claude et se précipite sur le buisson d'où ses amis voient sortir, non pas une vipère mais Berlingot, le petit singe de Pilou !

— Berlingot ! s'exclament-ils en chœur. Il est venu nous souhaiter la bienvenue !

Avec des petits cris joyeux, le singe saute sur l'épaule de Claude, puis sur celle de François. Il lui tire les cheveux, lui chatouille l'oreille droite, puis bondit sur Mick et enfin sur Annie. Il se blottit alors contre le cou de la fillette. Ses yeux malins brillent de joie.

— Je suis contente de te revoir, Berlingot, dit Annie en le caressant. Tu sais où est Pilou ?

On dirait que le petit singe comprend ! Il bondit de l'épaule d'Annie et se précipite dans l'allée en direction de la maison. Les enfants le suivent à toutes jambes.

Soudain, une voix tonitruante s'élève tout près d'eux.

— Que faites-vous chez moi ? C'est une propriété privée ici ! Décampez tout de suite ou j'appelle les gendarmes !

Stupéfaits, les jeunes vacanciers s'arrêtent... puis François découvre qui a parlé. C'est le professeur Lagarde ! L'aîné des Cinq s'avance vers lui.

— Bonjour, monsieur ! C'est vous qui avez dit à ma tante qu'on pouvait venir.

— Votre tante ? Qui est votre tante ? Je ne connais aucune tante ! vocifère le professeur. Vous êtes des espions ! Vous voulez surveiller mes

27

recherches scientifiques, tout ça parce qu'un journal a publié un article sur mes dernières découvertes ! Vous êtes le troisième groupe de curieux que je chasse de ma propriété aujourd'hui. Allez, filez ! Plus vite que ça ! Et emmenez ce chien avec vous !

— Mais... monsieur... vous ne savez vraiment pas qui on est ? questionne François interloqué. Rappelez-vous... Vous avez fait un séjour chez les parents de Claude et...

— J'ai dit : *dehors !* l'interrompt le professeur d'une voix de stentor.

Effrayé par ces rugissements, Berlingot prend la fuite en poussant de petits cris plaintifs.

— Si seulement Berlingot avait la bonne idée d'aller chercher Pilou ! chuchote François à l'oreille de Mick. M. Lagarde paraît avoir oublié qui on est et pourquoi on est venus. Pour l'instant, inutile d'insister. Il est trop en colère.

Les jeunes vacanciers commencent à s'éloigner, quand une voix les interpelle. Ils voient alors arriver Pilou. Celui-ci se dirige vers eux en courant. Berlingot est perché sur son épaule et s'accroche à ses cheveux pour ne pas tomber. Le petit singe a alerté son maître !

Pilou va se planter devant son père irrité et se met à crier à son tour :

— Papa ! Ne te fâche pas ! C'est *toi* qui les as invités à venir ici, tu le sais bien !

28

— Hein ? réagit le professeur. Qui sont ces gamins ? Tu les connais ?

— Bien sûr ! Et toi aussi. Elle, c'est Claude, la fille de M. et Mme Dorsel. Les autres sont ses cousins. Ça, c'est Dagobert, leur chien. Tu les as invités toi-même !

— Vraiment ? grommelle le professeur. Je ne me souviens de rien. Si j'avais proposé d'héberger quatre enfants et un chien, j'en aurais certainement parlé à Jeanne !

— Mais justement ! Tu l'as prévenue ! insiste Pilou d'une voix presque aussi forte que son père. Elle est allée acheter quelques provisions supplémentaires, et je l'ai même aidée à les rapporter du marché... À propos, elle aimerait bien savoir pourquoi tu n'as pas pris ton petit-déjeuner. Elle l'a retrouvé intact sur le plateau, et maintenant il est presque midi !

— Pas possible ! s'écrie le professeur Lagarde d'un air très étonné. Je n'ai rien mangé depuis hier soir ? Ce n'est pas étonnant, alors, que je meure de faim et que je sois d'aussi mauvaise humeur !

Et là-dessus, il éclate de rire. Il rit si fort que les enfants ne peuvent s'empêcher de s'esclaffer à leur tour. Pilou a quand même un drôle de père ! C'est un savant d'une intelligence incroyable mais ça ne l'empêche pas d'être l'homme le plus distrait de la terre. Il oublie l'heure de ses repas, le nom de ses invités et même son propre numéro de téléphone !

— C'est un simple malentendu, assure François avec tact, quand M. Lagarde a repris son sérieux. C'est très gentil de nous avoir invités chez vous, puisqu'on ne peut pas rester aux *Mouettes*. On essaiera de ne pas vous déranger.

Le professeur paraît charmé de ce petit discours.

— Tu entends, Pilou ? s'exclame-t-il en se tournant vers son fils. Tu devrais en prendre de la graine ? Tu sais que mes travaux sont particulièrement importants et que j'ai besoin de beaucoup de calme. Surtout en ce moment !

Il pivote vers les Cinq.

— Excusez-moi pour ma réaction. Vous êtes les bienvenus. Faites comme chez vous. Sauf pour cette tour : interdiction totale d'y entrer. Compris ?

Suivant son index pointé, François, Claude, Mick et Annie lèvent les yeux et aperçoivent une tour, assez haute, qui s'élève à quelques mètres de là.

— Je vous interdis aussi de me poser la moindre question au sujet de cette tour, ajoute le professeur Lagarde en jetant un coup d'œil sévère à Claude. Votre père est la seule personne au courant de mes inventions. Il est le seul qui connaisse le but de mes recherches. Lui, au moins, sait se taire !

— Pas d'inquiétude, assure Mick. On ne montera pas là-haut.

— Très bien ! approuve le professeur, radouci.

30

Je vous fais confiance. Maintenant, je vous laisse. Je dois prendre mon petit-déjeuner. J'espère que Jeanne a eu la bonne idée de me préparer des tartines de beurre et de miel. J'ai une faim de loup.

— Mais, papa ! s'écrie Pilou. Jeanne a remporté ton petit-déjeuner à la cuisine depuis longtemps. Il est plus de midi ! On va tous passer à table.

— Ah ! bon... bon ! grommelle le professeur. Je vous rejoins tout de suite, alors.

Il disparaît à l'intérieur de la villa. Les cinq enfants lui emboîtent le pas, suivis de Dagobert et de Berlingot.

Jeanne, la cuisinière des Lagarde, a préparé un excellent déjeuner pour tout le monde. Elle commence par servir une belle salade composée, puis des frites et un succulent rôti de veau. Berlingot et Dagobert ne sont pas oubliés non plus. Berlingot, qui adore les pommes de terre, chipe toutes les frites qu'il peut atteindre dans l'assiette de son jeune maître. Pilou s'amuse de son manège.

Pour terminer, Jeanne apporte sur la table un gâteau fait « maison », un énorme cake nappé de crème et fourré de raisins secs. Berlingot se met à virevolter de joie sur la nappe. Il adore les raisins, encore plus que les frites ! Pour chasser le singe qui menace de renverser son verre, M. Lagarde avance la main. La petite bête disparaît sous la table où, quelques instants plus tard, les enfants lui glissent en cachette plusieurs morceaux de gâteau.

Dagobert, lui aussi, s'est réfugié sous la table. La voix tonitruante de M. Lagarde lui fait peur. Le pauvre chien se sent un peu oublié dans sa cachette. Comme il n'aime pas beaucoup les raisins, il est moins heureux que Berlingot.

— Ha ! s'écrie le professeur quand il a vidé son assiette. Rien de tel qu'un bon petit-déjeuner pour vous remonter !

— Mais c'était ton repas de midi, papa ! lui rappelle Pilou d'un air découragé.

— Tiens, c'est vrai ! s'exclame son père en riant.

Son rire énorme vibre un long moment dans l'air. Puis il se renfrogne de nouveau.

— Maintenant, les enfants, faites ce que vous voulez, sauf, bien sûr, fourrer le nez dans mes affaires !... Berlingot, laisse cette carafe tranquille ! Tu vas la renverser. Pilou, tu ne peux surveiller ce singe ?

Et, avec un dernier froncement de sourcils, il quitte la pièce et disparaît dans la pénombre d'un couloir qui doit conduire à son bureau.

Les enfants poussent un soupir de soulagement.

— On va débarrasser la table en vitesse, et puis je vous montrerai vos chambres, déclare Pilou. J'espère que vous ne vous ennuierez pas trop ici !

Non, le Club des Cinq ne s'ennuiera pas pendant ces vacances ! Mais ça, il ne peut pas encore le deviner...

chapitre 4

L'idée de Jeanne

Pilou se précipite vers la cuisine pour rapporter un ou deux plateaux qui serviront à débarrasser la table. Tout en courant, il imite un bruit de moteur.

— Quoi ? s'exclame Mick stupéfait. Pilou a toujours cette habitude de se prendre pour une voiture ?

On entend soudain un coup sourd suivi d'un hurlement. Les Cinq se dépêchent d'aller voir ce qui se passe. Dagobert arrive le premier.

Les enfants trouvent Pilou étalé sur le plancher. Il se relève péniblement.

— J'ai eu un accident ! explique-t-il. J'ai pris le virage trop vite, et ma roue avant a dérapé. Mon casque est tout cabossé.

Un vacarme infernal se fait alors entendre dans

le couloir... un vacarme à faire trembler les murs de la villa. François s'empresse de pousser Pilou dans la cuisine dont il ferme la porte.

— Moins de bruit, Pilou ! On a juré à ton père qu'on ne le dérangerait pas. Arrête de te comporter comme un gamin de cinq ans ! Allez, prends vite les plateaux. Et si tu ne peux vraiment pas t'empêcher de te transformer en Ferrari ou en Harley Davidson, va dehors, au moins !

Les enfants retournent enfin débarrasser la table. Jeanne, la cuisinière, se montre très satisfaite de leur aide. C'est une petite femme, qui se dandine en marchant, ce qui ne l'empêche pas de travailler avec efficacité et rapidité. Quand toutes les assiettes et les verres sont dans le lave-vaisselle, Pilou fait signe aux Cinq de le suivre.

— Venez, je vais vous montrer vos chambres !

Mais Jeanne l'arrête.

— Pilou, il y a un problème, confie-t-elle. Il n'y a pas assez de matelas pour tes quatre amis. Ton père est tellement distrait, qu'il m'a parlé de deux invités… pas quatre plus un chien !

— Mais… s'écrie Pilou consterné, où est-ce qu'ils vont dormir, s'ils n'ont pas de lits ?

— Deux d'entre eux pourraient dormir dans la chambre et les autres planter une tente dans le pré qui se trouve derrière la maison.

Les yeux de Pilou s'agrandissent.

— Camper ? C'est une idée géniale ! s'écrie-t-il. Moi aussi, je veux dormir dehors !

Il se tourne vers les Cinq et demande :

— Il faut se répartir entre la villa et le pré. Qui préfère coucher dans un vrai lit ?

Personne ne répond. Tout le monde a l'air gêné. Enfin, Annie prend la parole :

— Ce n'est pas drôle, de devoir se séparer. Le mieux, ce serait de rester groupés... de camper tous ensemble !

Elle tourne vers Jeanne un regard interrogateur. Celle-ci réfléchit à sa proposition.

— Pourquoi pas... acquiesce-t-elle enfin. Le temps est au beau fixe. Il fait chaud, et vous pourrez vous amuser sans gêner le professeur. Allez lui demander la permission !

Aussitôt, la petite bande se précipite dans le couloir. Pilou ne peut se retenir d'imiter un bruit de moteur. Avant même qu'il n'atteigne le bureau de son père, la porte s'ouvre brusquement et le savant paraît sur le seuil, la mine furieuse.

— Pilou ! Qu'est-ce que j'ai dit ? Silence ! Avec tout ce vacarme, je ne pourrai jamais terminer mes recherches !

Jeanne, qui talonne le petit groupe, intervient tout de suite :

— Justement, les enfants proposent de camper dans le pré derrière la maison. Là-bas, ils ne vous dérangeront pas !

35

Les enfants retiennent leur souffle. Le père de Pilou acceptera-t-il ? La figure du professeur Lagarde s'éclaire.

— C'est un excellent projet ! Mais surtout, emmenez Berlingot avec vous ! Comme ça, je serai tranquille. Cette bête ne passera plus par la fenêtre de mon bureau pour mettre du désordre dans mes papiers !

Et là-dessus, il retourne s'enfermer dans son bureau, en claquant la porte si fort que toute la maison en est ébranlée. Dagobert, surpris, lance un vigoureux aboiement. Le petit singe, lui, court se réfugier au premier étage en gémissant. Pilou, pour sa part, se met à danser de joie. Soudain, il s'arrête et se frappe le front.

— Oh, non ! J'ai oublié quelque chose. Je n'ai qu'une seule tente, la mienne, et elle est toute petite.

— J'ai la solution ! déclare Claude. François, Mick et moi, on va prendre le prochain car pour Kernach. On ira à la maison. Nos tentes sont rangées dans la cabane au fond du jardin. On les rapportera à vélo ! D'ailleurs, des bicyclettes pourront nous être utiles ici.

— Très bonne idée, approuve Jeanne. Vous feriez bien de vous dépêcher et d'aller guetter le car. Il ne va pas tarder à passer. Revenez à temps pour le goûter, si vous pouvez !

Claude, François et Mick partent donc, en emmenant Dagobert. Annie et Pilou restent seuls.

— Maintenant que la table est débarrassée, déclare la cuisinière, allez vous amuser dehors. Et, si tu te transformes en voiture, Pilou, n'oublie pas de venir faire le plein d'essence de temps en temps !

— Le plein de limonade, oui, répond le garçon en riant.

Il prend Annie par la main et l'entraîne derrière la maison.

— Je vais te montrer le pré où on campera, lui dit-il. On en profitera pour choisir un bon endroit, bien abrité du vent.

Tous deux contournent la villa et débouchent dans le pré. Soudain, Pilou s'immobilise et ouvre des yeux ronds.

— Ça alors ! s'écrie-t-il. Regarde à l'autre bout du pré. La barrière qui donne sur le chemin est ouverte et... tu vois ce qui arrive ? Des caravanes ! Toute une file de caravanes ! Non, mais... attends un peu. Je vais leur dire de décamper ! Ce pré nous appartient !

Il s'avance d'un pas ferme. Annie le rappelle.

— Reviens, Pilou. Tu vas t'attirer des ennuis. Reviens !

Mais le garçon continue de s'approcher des intrus avec un air vengeur. Ils vont voir ce qu'ils vont voir !

chapitre 5

Le cirque Barbarino

Annie, pleine d'inquiétude, suit son ami des yeux. Pilou traverse le pré sans ralentir. Déjà, quatre grosses caravanes ont pénétré dans le vaste enclos. Derrière elles, sur le chemin, d'énormes fourgons s'avancent. Dessus, trois mots sont peints en lettres flamboyantes :

GRAND CIRQUE BARBARINO

— Ils exagèrent ! grommelle Pilou entre ses dents. Je vais dire à ce M. Barbarino ce que je pense de lui. Ça ne se fait pas, de s'introduire comme ça chez les gens !

Berlingot, perché sur l'épaule de son jeune maître, imite son attitude. Lui aussi bougonne tout bas !

39

Quatre ou cinq enfants, qui circulent parmi les caravanes, jettent un regard intrigué en direction de Pilou. Un garçon se précipite vers lui avec une exclamation ravie :

— Un singe ! Un petit singe ! Il est minuscule à côté de notre chimpanzé. Il s'appelle comment ?

— Mêle-toi de ce qui te regarde, réplique Pilou d'un ton brusque. Où est M. Barbarino ?

— M. Barbarino ? répète l'enfant. Ah ! Tu veux dire notre grand-père ? Il est là-bas, regarde, à côté de ce gros fourgon qui vient d'arriver. Mais ne le dérange pas en ce moment. Il est occupé.

Pilou ignore ces paroles et va tout droit au fourgon. Dès qu'il s'approche, il interpelle le vieil homme qui se trouve devant. Le directeur du cirque est robuste. Il a une grosse tête, des yeux vifs sous d'épais sourcils en broussaille, une barbe touffue et un nez plutôt petit... Il pose un regard perçant sur Pilou et tend la main vers Berlingot.

— Ne le touchez pas ! s'écrie Pilou. Il va vous mordre. Il n'aime pas les inconnus.

— Pas un singe au monde ne me considère comme un inconnu, déclare M. Barbarino d'une voix grave. Je n'ai qu'à appeler, et ils viennent. Même les chimpanzés. Même les gorilles !

— Vous pouvez toujours essayer d'appeler mon singe, riposte Pilou d'un air narquois, il ne bougera pas. Mais ce n'est pas pour parler de singes que je suis venu vous voir. Je voulais vous dire...

Avant qu'il ait pu finir sa phrase, M. Barbarino émet un curieux bruit de gorge... un peu comme celui que fait Berlingot quand il est content. Le petit singe regarde l'homme d'un air à la fois surpris et heureux, puis il saute sur son épaule et se niche au creux de son cou en jacassant comme une pie. Pilou est tellement stupéfait qu'il ne trouve pas un mot pour protester.

— Tu as vu ? dit M. Barbarino avec un sourire. Ton singe et moi, on est déjà amis. Ne reste pas bouche bée, comme ça. Je ne suis pas sorcier, mais j'ai apprivoisé des dizaines et des dizaines de singes dans ma vie. Si tu me confies ton petit compagnon, je lui apprendrai à se tenir sur un tricycle à sa taille en moins de quarante-huit heures.

— Hors de question ! Ici, Berlingot ! s'écrie Pilou, furieux du comportement de son protégé.

Mais, au lieu de lui obéir, l'animal se cramponne plus fermement au cou de M. Barbarino. Celui-ci doit le cueillir de son épaule et le remettre lui-même à Pilou.

— Tiens, reprends-le. Il est bien mignon. Alors, qu'est-ce que tu es venu me dire ?

— Que ce pré appartient à mon père, le professeur Lagarde, déclare Pilou d'un air important. Vous n'avez pas le droit de vous y installer avec vos caravanes. Surtout que, mes amis et moi, on a prévu de camper ici à partir de ce soir.

— Ça ne m'ennuie pas, répond tranquillement

41

le monsieur. Il y a de la place pour tout le monde. Choisissez votre coin. Si vous ne venez pas nous ennuyer, on ne vous ennuiera pas non plus.

Au même instant, arrive un garçon d'à peu près l'âge de Pilou. Il considère avec intérêt Berlingot et son maître.

— Tu es en train d'acheter ce singe, papi ? demande-t-il au directeur du cirque.

— Mon singe n'est pas à vendre ! hurle Pilou de plus en plus furieux. Je suis simplement venu vous dire de partir d'ici, vous et vos caravanes ! Ce pré appartient à ma famille.

— Peut-être, coupe M. Barbarino sans perdre son sang-froid, mais je possède un vieux papier qui m'autorise à venir planter mon chapiteau ici tous les dix ans pour donner une représentation. Eh, oui ! Le Cirque Barbarino existe depuis plusieurs siècles et il s'installe ici tous les dix ans. C'est un de tes ancêtres, jeune homme, qui a donné l'autorisation !

— Ce n'est pas vrai ! rétorque Pilou. Je vais dire à mon père que...

— Je t'interdis de parler sur ce ton à mon grand-père ! lance le garçon qui se tient à côté de M. Barbarino. Je te flanque une raclée si tu continues.

— Essaie un peu et tu verras ! répond Pilou, incapable de se contenir. J'ai des poings solides, tu sais !

42

Pilou n'a pas fini de parler qu'il se retrouve étendu de tout son long sur l'herbe où l'autre garçon l'avait poussé ! Le fils de M. Lagarde se relève d'un bond. Il est tout rouge et plus en colère que jamais. Le vieux directeur l'empêche de se ruer sur son adversaire.

— Du calme ! dit-il d'une voix tranquille. Ce garçon est Cédric, mon petit-fils, un Barbarino comme moi. Tu ferais mieux de rentrer chez toi et de te montrer un peu plus raisonnable. On ne va pas perdre notre temps avec un gamin coléreux comme toi. Notre cirque donnera une représentation ici, ainsi qu'il le fait tous les dix ans depuis le XVIIᵉ siècle ! Un point, c'est tout !

Sur ces mots, il s'éloigne pour aller à la rencontre de nouvelles caravanes et de nouveaux fourgons qui arrivent.

— Ça t'apprendra, lance Cédric à Pilou en ricanant. Tu es gonflé de t'être attaqué à mon grand-père... et à moi ! Mais, j'avoue que tu ne manques pas de courage ! Et ça, ça me plaît assez !

— Oh ! Ça va ! coupe l'autre qui sent des larmes de dépit lui monter aux yeux. Attends un peu que mon père prévienne les gendarmes. Vous décamperez à toute vitesse... et un de ces jours, aussi, ce sera mon tour de te flanquer une raclée.

Là-dessus, il tourne les talons et retourne en courant à l'endroit où il a laissé Annie. Comment

43

le cirque Barbarino ose-t-il venir planter son chapiteau sans demander la permission ?

— Je vais prévenir papa, décide Pilou quand il rejoint Annie. Il saura comment les obliger à s'en aller !

Il se met à courir vers la maison, mais Annie le rappelle et l'oblige à lui donner plus de précisions sur sa discussion avec M. Barbarino. Elle fait de son mieux pour le calmer et lui conseille d'attendre le retour de Claude, Mick et François avant d'aller voir son père.

Sauf qu'à l'heure du goûter, Claude rentre seule.

— Les garçons ne vont pas tarder à arriver, précise-t-elle. Ils vont plus lentement parce qu'ils apportent aussi le vélo d'Annie. Mais qu'est-ce qu'il y a, Pilou ? Tu es tout rouge !

Pilou fait à nouveau le récit de sa mésaventure.

— Quoi ? s'écrie Claude. Ce Cédric t'a frappé ? Mais pourquoi ?

— Parce que j'ordonnais à son grand-père de décamper avec ses fourgons et ses caravanes... Mais il ne m'a pas fait mal. En partant, je l'ai menacé de prévenir mon père.

— Tu crois qu'ils vont s'en aller ? questionne Annie.

— J'espère ! Ils n'ont pas le droit de s'installer dans un pré qui nous appartient.

— Et tu veux *vraiment* alerter M. Lagarde ?

interroge Claude, incrédule. Moi, je ne comprends pas pourquoi tu fais toutes ces histoires…

— Puisque je te dis que le terrain est à nous ! Il me l'a répété cent fois !

— Quand même, Pilou, réfléchis... Un cirque ! On n'en voit pas tous les jours, soupire Claude, les yeux brillants. C'est une chance unique de pouvoir en observer un de près !

Pilou la foudroie du regard.

— Tu aimerais, toi, que des gens viennent s'installer dans un pré qui t'appartient ? Sans parler d'un garçon qui te saute dessus pour t'envoyer des coups de poing ! Je n'ai aucune envie de trouver un lion ou un tigre dans ma chambre, moi ! Je vais avertir papa tout de suite ! Il me donnera le document qui dit que le pré est à *nous* et j'irai directement à la gendarmerie pour faire chasser ces horribles intrus !

— Pourquoi « horribles » ? relève Claude. Tu n'en sais rien. Ils donnent peut-être des spectacles fabuleux. On peut très bien planter nos tentes le plus près possible pour observer la vie du cirque. On verra les animaux savants, et on assistera peut-être même à quelques répétitions.

Pilou l'interrompt.

— Ça ne m'intéresse pas, déclare-t-il. Je vais demander à papa de nous montrer le document dont je vous ai parlé. Ça vous prouvera que j'ai raison...

Pilou file dans la maison. Tout en rouspétant,

45

M. Lagarde accepte de fouiller dans ses archives. Il en sort un vieux morceau de parchemin, jauni par les siècles.

— Le voici ! annonce-t-il. C'est un document de grande valeur ! Il remonte à 1650 !

Le professeur dénoue le ruban décoloré qui s'enroule autour du parchemin et étale celui-ci sur la table de la salle à manger. Claude, Annie et Pilou sont incapables de déchiffrer l'écriture, en partie effacée.

— Qu'est-ce que ça raconte ? demande Annie, intéressée.

— Un puissant duc de Bretagne, explique M. Lagarde, a autrefois offert ce pré, et d'autres aux environs, à ma famille qui lui avait rendu service. Ce papier prouve que les terres nous appartiennent.

— Donc, s'écrie Pilou d'un ton triomphant, personne n'a le droit de s'installer dans notre pré !

— Personne... presque, nuance son père. Il existe une exception. Alors... laisse-moi chercher le paragraphe... Oui, oui, c'est bien cela... Le duc de Bretagne était un grand ami des Barbarino, propriétaires d'un cirque. Avant d'avoir donné le pré à notre famille, il avait autorisé les Barbarino à y donner une représentation tous les dix ans. Aujourd'hui encore, je dois respecter cette règle.

Pilou devient tout rouge.

— Tu aurais pu me le dire plus tôt... murmure-t-il.

— Pourquoi ? questionne le professeur, étonné.

Claude se charge de mettre M. Lagarde au courant.

— J'aurais voulu que le cirque s'en aille, avoue Pilou tout penaud, puisqu'on veut camper dans ce pré...

— Je suis certain que le directeur du cirque n'y verra aucun inconvénient, coupe le professeur. J'espère que tu es resté poli, au moins...

— Oui, bien sûr... tu me connais, marmonne Pilou en détournant les yeux.

— Ah ! s'écrie Claude en regardant par la fenêtre. Voilà Mick et François. Ils sont chargés comme des mules ! Vite, allons les aider à transporter les tentes... Merci beaucoup, monsieur Lagarde, de nous avoir montré ce document !

Et les trois enfants sortent en coup de vent.

chapitre 6

Joyeux préparatifs

Mick et François sont très intéressés par les nouvelles. L'arrivée du cirque les enthousiasme. Mais quand il apprend la mésaventure de Pilou, François réplique :

— J'espère que les Barbarino ne sont pas trop choqués de ton accueil… Je crois qu'on ferait bien d'aller repérer un endroit pour planter nos tentes. Ça leur prouvera qu'on accepte de vivre près d'eux. Personnellement, je suis bien content de pouvoir cohabiter avec un cirque. J'ai toujours eu envie de voir comment on préparait un spectacle. On pourra assister au déballage du matériel et au montage du chapiteau !

— Il y a des dizaines de gros fourgons, déclare Annie. Le pré est presque entièrement occupé maintenant... à part un coin, près de la haie de la villa, que M. Barbarino a sans doute laissé pour nous.

— J'ai vu des affiches sur les murs en revenant de Kernach. Apparemment, il y a un contorsionniste, un chimpanzé joueur de tennis, des chevaux savants, des clowns, un âne danseur, et un calculateur prodige : le célèbre M. Karkos !

— J'ai hâte de faire la connaissance du chimpanzé, assure son frère en riant. Ce serait drôle s'il s'échappait et allait s'asseoir dans le bureau de M. Lagarde. Ton père est tellement distrait, Pilou, qu'il s'imaginerait voir Berlingot et s'étonnerait qu'il ait grandi si vite !

Les autres s'esclaffent. Puis Mick propose :

— Si on goûtait ? On s'est tellement dépêchés pour être de retour de bonne heure, que je suis affamé !

— Ouah ! fait Dagobert qui halète, allongé sur le sol.

— Ah ! Tu es du même avis que moi, hein ? s'écrie Mick en s'esclaffant. Toi aussi, tu es fatigué de notre longue course ?

— Pas étonnant ! commente François. Il était obligé de galoper derrière nos vélos.

— Ouah ! confirme le chien, en s'asseyant soudain et en donnant un coup de patte à Claude.

Celle-ci a un sourire amusé.

— Il me dit qu'il n'est pas du tout fatigué,

déclare-t-elle, et qu'il voudrait bien continuer à se promener.

— Ah, non ! réplique François. Moi, j'en ai assez de courir !

Dagobert gémit. Aussitôt Berlingot saute de l'épaule de Pilou sur le dos du chien. Il lui entoure le cou de ses deux petites pattes velues, comme pour le réconforter. Dago, reconnaissant, se retourne pour lui donner un grand coup de langue sur le bout du nez ! Soudain, il dresse les oreilles et se met à écouter. Il a entendu quelque chose.

— On dirait de la musique, murmure Annie.

— L'orchestre du cirque Barbarino, en pleine répétition ! explique Claude.

— Mais oui, c'est demain qu'ils donnent leur spectacle, confirme Mick. C'était écrit sur les affiches !

— Les musiciens préparent sûrement le numéro avec les chevaux dansants, avance Annie, les yeux brillants. Vous pensez qu'on pourrait assister à la répétition ?

— Moi, ça ne me tente pas, intervient Pilou, bougon. M. Barbarino a été trop désagréable avec moi... et son petit-fils, je n'en parle même pas !

— Tu aurais fait comme lui si un garçon avait parlé méchamment à ton grand-père, rétorque François.

Pilou, qui ne tient pas à s'étendre sur le sujet, va voir à la cuisine si le goûter est servi. Il revient presque aussitôt pour annoncer :

— Jeanne ne pensait pas que Claude, Mick et François seraient rentrés si tôt. Le goûter n'est pas prêt. Elle nous conseille de nous promener un peu en attendant.

— Moi, je préfère faire une petite sieste ! s'écrie Claude, en s'allongeant sur la pelouse.

Les autres l'imitent et s'étendent dans l'herbe. Mick s'amuse à chatouiller Berlingot avec une brindille. Le petit singe éternue trois fois coup sur coup. Puis il se frotte le museau en jetant un regard de reproche au jeune garçon.

— Tiens, prends un mouchoir ! propose François en riant.

Alors, au grand amusement de tous, le petit animal se précipite sur lui comme s'il avait compris et, d'un geste précis, attrape le mouchoir en papier. L'air grave, il fait mine de s'essuyer le nez. Sa mimique provoque une explosion de rires. Berlingot paraît flatté.

— Si tu continues comme ça, lui dit Mick, tu pourras bientôt rejoindre la troupe Barbarino !

— Pas question ! proteste Pilou. Il serait trop malheureux.

— Pas sûr, réagit Claude. En général, les artistes de cirque aiment beaucoup leurs animaux. Ils sont fiers d'eux et les traitent très bien. Je crois qu'ils considèrent leurs animaux comme des membres de leur famille.

— Hein ? Même un chimpanzé ! s'exclame Annie, stupéfaite.

— Les chimpanzés ne sont pas méchants, et même, ils sont connus pour leur intelligence, enchaîne François.

C'est alors que la voix de Jeanne s'élève de la maison.

— Les enfants, le goûter est prêt ! Mais avant de vous mettre à table, il faut dégager l'entrée. Vous avez laissé vos tentes et vos sacs à dos dans l'entrée. Si M. Lagarde sort de son bureau, il trébuchera dessus, c'est certain. Dépêchez-vous !

Mais avant même que le petit groupe ait le temps de s'exécuter, la porte du bureau de M. Lagarde s'ouvre en grand et il se prend les pieds dans le matériel de camping ! Il tombe à la renverse en faisant un vacarme épouvantable.

Jeanne surgit de la cuisine.

— Qu'est-ce que c'est que tout cet attirail ! hurle le père de Pilou, hors de lui. Qui a laissé ça au milieu du chemin ? Jeanne ! Jeanne ! Jetez toutes ces affaires à la poubelle ! Je ne veux plus les voir dans ma maison !

— Notre matériel de camping ! s'écrie Claude, alarmée, en se levant d'un bond. Vite !

Annie et les trois garçons la suivent en courant dans la maison.

Tandis que Mick et François s'empressent de déblayer le vestibule et d'emporter toutes les affaires dans le jardin, Claude et Annie s'excusent auprès du professeur, qui, oubliant qu'il est sorti chercher un verre d'eau, retourne se terrer dans son bureau.

Les filles rejoignent enfin les trois autres qui ont transporté les tentes, les sacs de couchage et le reste près de la haie du jardin. Dagobert bondit autour d'eux en aboyant, heureux de cette distraction imprévue. Berlingot, de son côté, joue à se percher sur tous les objets qu'il voit. Soudain, avec un petit cri malicieux, il saisit un piquet de tente et s'apprête à s'enfuir avec ! Mais Dago attrape le piquet entre ses crocs, obligeant Berlingot à le lâcher et, solennellement, le rapporte à sa maîtresse.

— Bravo, Dag ! le félicite-t-elle, ravie. Tu as raison : mieux vaut tenir Berlingot à l'œil ! Je compte sur toi !

On jurerait que Dagobert comprend ! Il se met à suivre pas à pas le petit singe, au point que celui-ci, agacé, saute sur son dos et se met à jouer « au cheval » avec lui !

— Ton chien aussi, aurait du succès dans un cirque ! s'amuse Mick.

— Très drôle, se contente de répondre Claude avec un sourire. On va goûter, maintenant ?

— Oui ! réplique Annie. J'ai une faim de loup !

— Moi aussi ! assure François.

— Ouah ! acquiesce Dagobert en écho.

Car il est tout à fait de l'avis de ses amis !

chapitre 7

L'installation

Le Club des Cinq, Pilou et Berlingot dégustent les chaussons aux pommes tout chauds de Jeanne et de savoureuses crèmes à la vanille. Ayant ainsi repris des forces, ils se décident à aller planter leurs tentes dans le pré. La petite bande se dirige en courant vers l'endroit où se trouve le matériel de camping. Les jeunes vacanciers regardent par-dessus la haie qui sépare le pré du jardin de la villa. Tous sont fascinés… sauf Pilou.

Dans le pré, de grosses voitures sont garées. Dessus, on peut lire le nom « Barbarino » en lettres rouges. Il y a également de nombreuses caravanes, dont les petites fenêtres s'ornent de rideaux blancs. Claude a les yeux qui brillent. Elle aimerait tant pouvoir vivre dans une roulotte, elle aussi !

— Regardez les chevaux ! s'écrie Mick.

Ce sont des étalons magnifiques. Ils avancent en agitant leurs crinières. Cédric, le garçon qui a boxé Pilou, les escorte en sifflant. Il vient de les faire sortir d'un grand van, et les chevaux ont l'air enchantés de se retrouver en liberté, au milieu d'un pré à l'appétissante herbe verte.

— La barrière de l'enclos est bien fermée, au moins ? demande soudain une grosse voix.

— Oui, papi ! répond Cédric. Je l'ai vérifiée moi-même. Les chevaux ne risquent pas de s'échapper.

Soudain, il aperçoit les Cinq qui le regardent derrière la barrière. Il agite la main dans leur direction.

— Vous avez vu mes chevaux ? lance-t-il, tout fier. Ils sont beaux, hein ?

Et, il saute sur le dos du premier et le fait trotter. Annie observe le garçon avec envie. Ah ! Si elle pouvait monter un cheval comme ça !

— Pas la peine de rester plantés là, conseille Pilou. Transportons les affaires dans le pré.

— D'accord, approuve Mick. Je suis bien content que M. Barbarino nous ait laissé un coin près des caravanes. Plus on sera près et plus on verra de choses intéressantes.

Il saute par-dessus la barrière, suivi de Pilou.

— Je vais vous passer les tentes et le reste, dit François. Mais il faut quelqu'un de fort pour m'aider... Claude !

Claude sourit. Elle est toujours contente quand on la traite comme un garçon.

Ce n'est pas une mince affaire, que de faire passer le matériel de camping par-dessus la clôture. Les enfants n'osent pas l'ouvrir, de peur qu'un des animaux du cirque ne s'échappe. Les tentes, en particulier, sont lourdes. Enfin, la petite troupe en vient quand même à bout.

Alors, François, Annie et Claude franchissent à leur tour la barrière et observent l'endroit où ils vont camper.

— On sera très bien là, près de ces gros buissons, constate François. Ces trois arbres nous protégeront du vent. Et on sera assez près du cirque pour voir plein de choses passionnantes.

— Super ! Super ! répète Annie sans arrêt, les yeux brillants de joie.

— On devrait peut-être aller voir le grand-père de Cédric, déclare soudain François. C'est lui le directeur du cirque, non ? On lui signalera simplement qu'on est installés.

— Et puis quoi encore ? proteste Pil⌐ de sa grosse voix. On n'a pas besoin de dem⌐⌐er la permission de camper dans *mon* pré ! ⌐ilou, riposte

— Ce n'est pas ce que j'ai⌐ent d'une visite François, exaspéré. Il s'agit s⌐

entre voisins !   rouspète Pilou d'un

— Fais comme tu v⌐

air boudeur.

— Allez, arrête un peu de faire la tête, intervient Claude, en lui donnant un coup de coude. Ce n'est pas tous les jours qu'on a l'occasion d'avoir un cirque au bout de son jardin, quand même !

François se dirige vers la caravane la plus proche. Elle est sans doute vide, car personne ne répond quand il frappe à la porte. Il est sur le point de s'éloigner quand une petite fille aux longs cheveux blonds arrive en courant.

— Tu cherches quelqu'un ? demande-t-elle d'une voix mélodieuse.

— Oui, M. Barbarino, acquiesce l'aîné des Cinq en souriant à la fillette, qui lève vers lui des yeux limpides.

— Il fait travailler un des chevaux. Tu es qui ?

— Mes amis et moi, on est vos voisins. Tu peux me conduire à M. Barbarino ?

— Il est là-bas, répond la petite en lui prenant la main. Je vais te montrer.

Elle guide François jusqu'au milieu du pré. Mick, Claude, Annie et Pilou suivent quelques mètres derrière. Soudain, un gémissement s'élève au loin. Claude s'arrête net.

— C'est Dagobert ! murmure-t-elle. Il s'est aperçu qu'on a quitté le jardin. Je retourne le chercher.

— Non. Ce n'est pas une bonne idée ! s'oppose l'aîné des Cinq. Il risque de ne pas s'entendre

58

avec les autres animaux. Imagine s'il rencontre le chimpanzé. Il sera vite réduit en chair à pâté.

— Tu plaisantes ! s'exclame sa cousine.

Mais elle renonce à aller chercher son chien.

— Ah ! Voilà papi ! annonce soudain la petite fille en souriant à François qu'elle n'a pas lâché. Papi ! Tu as de la visite !

M. Barbarino est très occupé à inspecter le sabot d'un beau cheval brun qui se tient immobile devant lui. Les enfants, soucieux de ne pas le déranger, s'arrêtent et en profitent pour le dévisager. Il est exactement comme Pilou l'a décrit : grand et gros, avec les cheveux et la barbe en broussaille. L'homme lève ses yeux étrangement clairs sous ses épais sourcils. Il repose par terre le sabot du cheval et lui donne une tape affectueuse sur la croupe.

— Allez, lui lance-t-il. Tu galoperas sans boiter maintenant. J'ai enlevé ce caillou pointu qui te gênait. Tu pourras recommencer ton numéro de danse.

Le cheval lève bien haut la tête et hennit comme pour exprimer sa satisfaction. Pilou sursaute et Berlingot, surpris, pousse un cri de frayeur en se cachant la tête sous le bras de son maître.

— Là, là ! reprend M. Barbarino d'une voix plus douce. N'aie pas peur, petit singe. Ce n'est qu'un cheval qui hennit. Tu n'en as jamais entendu ?

Encore craintif, Berlingot sort seulement le bout du museau de sous le bras d'Pilou. Annie, qui meurt d'envie de caresser la crinière soyeuse du cheval, demande avec timidité :

— Est-ce que ce cheval sait vraiment danser, monsieur ?

— Bien sûr ! C'est un des meilleurs danseurs au monde !

Et là-dessus, il se met à siffler un petit air entraînant. Aussitôt, le cheval dresse les oreilles, regarde son maître et commence à valser ! Les enfants le contemplent, figés par la surprise. C'est incroyable !

Le cheval, en effet, fait des cercles comme s'il répétait une chorégraphie. Il hoche la tête en cadence. M. Barbarino siffle plus rapidement et le cheval suit encore la musique.

— C'est tellement beau ! s'émerveille Annie, enthousiasmée. Ce cheval est aussi gracieux qu'une ballerine ! Tous vos chevaux dansent aussi bien, monsieur Barbarino ?

— Oui. Mais lui, c'est celui qui sait le mieux respecter le rythme. Les autres sont très doués pour passer d'une cadence à une autre sans jamais se tromper.

— J'aimerais bien voir ça ! souffle Annie.

— Eh bien, vous pourrez les admirer demain soir, quand ils seront tous empanachés ! C'est un très joli spectacle.

— Merci ! crie la benjamine du groupe.

M. Barbarino regarde d'un œil attendri.

— Comment tu t'appelles, toi ?

— Annie, répond-elle avec un sourire.

— Moi, je suis François, enchaîne son frère. Et voici Mick et Claude.

Il hésite avant de désigner Pilou.

— On s'est déjà rencontrés, intervient l'homme, avec un clin d'œil. Et maintenant, si vous vous occupiez d'installer vos tentes ? Si vous voulez, je peux vous prêter Charlie, le chimpanzé, pour vous aider. Il est aussi fort que quatre hommes à lui tout seul !

À cette proposition inattendue, Annie pâlit un peu et fait un pas en arrière sans même s'en rendre compte.

— Le... le chimpanzé ? bégaie-t-elle, pas très rassurée. Mais... heu... il est vraiment assez apprivoisé pour nous aider ?

— Le vieux Charlie est plus intelligent que vous tous réunis, et aussi « apprivoisé », je vous l'assure ! s'écrie M. Barbarino en s'esclaffant de bon cœur. Ha, ha, ha ! Et il est tellement adroit qu'il vous battrait au tennis si vous lui lanciez un défi ! Apportez des raquettes et vous verrez !... En attendant je vais l'appeler pour qu'il vous donne un coup de main. Charlie ! Charlie où es-tu ? Je parie qu'il s'est endormi. Charlie ! Viens ici !

Mais Charlie ne se montre toujours pas.

— Je vais le chercher. Il est là-bas ! déclare M. Barbarino en désignant du doigt une grande

61

cage dans un coin du pré. Vous verrez, il exécutera tous les ordres que vous lui donnerez, à condition que vous l'encouragiez de temps en temps avec un petit mot gentil. Il est très sensible aux compliments, Charlie.

— On vous accompagne ! décide Mick avec entrain. Je n'aurais jamais imaginé qu'un chimpanzé puisse nous aider à monter nos tentes !

Et les cinq enfants, à la suite de M. Barbarino, se dirigent vers la cage de Charlie. Tous, sauf Annie, sont impatients de faire sa connaissance...

chapitre 8

Charlie

Pilou est le premier à atteindre la cage. Il regarde à l'intérieur. Charlie, le chimpanzé, est bien là. Il ne dort pas. Assis tout au fond, il dévisage son jeune visiteur avec curiosité. Puis, sans se presser, il se lève et, s'approchant tout près de Pilou, pose son museau contre les barreaux. Avant que le garçon ait le temps de reculer, Charlie se met à souffler très fort. Pilou fait un bond en arrière.

— Il m'a postillonné au visage ! crie-t-il avec indignation. Pouah ! C'est dégoûtant.

Claude et ses cousins éclatent de rire. Le chimpanzé a l'air de rire lui aussi et pousse un drôle de grognement, que Berlingot tente aussitôt d'imiter. Charlie remarque alors le petit singe et paraît très

63

intéressé. Il commence à sauter dans sa cage en lançant des cris étranges.

— Ah ! s'exclame soudain M. Barbarino. J'aperçois Cédric qui vient par ici. Dites-lui que je vous prête Charlie. Moi, je vous laisse, j'ai du travail !

Et le directeur du cirque tourne les talons avant que Cédric s'aperçoive de sa présence. En fait, il a les yeux rivés sur Pilou.

— Hé ! s'écrie-t-il. Je te reconnais... C'est toi qui as mal parlé à mon grand-père et que j'ai flanqué par terre d'un coup de poing.

— Oui, c'est moi. Et je te préviens : si tu me sautes dessus cette fois, je contre-attaque ! riposte Pilou, qui s'emporte de nouveau.

— Du calme ! intervient François... Tu es Cédric, c'est ça ? continue-t-il en se tournant vers le nouveau venu. Ton grand-père nous prête le chimpanzé pour nous aider à monter nos tentes. C'est vraiment prudent de laisser ce gros singe sortir de sa cage ?

— Oh ! oui ! assure Cédric. Je le sors deux ou trois fois par jour. Il s'ennuie tout seul... Il sera très content de vous donner un coup de main ! Il a l'habitude de nous aider quand on s'installe.

— Tu es sûr qu'il est inoffensif ? insiste Annie, pas du tout rassurée.

— Inoffensif ? Il ne ferait pas de mal à une mouche ! Allez, Charlie, sors de là ! Remue-toi

64

un peu ! Tu sais très bien ouvrir ta cage quand tu veux !

Les enfants scrutent Cédric d'un air stupéfait. Le garçon se met à rire.

— Ça vous étonne, pas vrai ? Mais c'est comme ça. Charlie peut sortir quand il en a envie. Seulement, il sait qu'il n'a pas le droit de se promener sans être accompagné.

Le chimpanzé fait entendre un petit rire. Il passe sa main à travers les barreaux, tire le verrou, pousse la porte et saute sur l'herbe.

— Vous voyez comme il est malin ? dit Cédric en souriant. Et maintenant, Charlie, tu vas nous suivre. Il y a du travail pour toi !

Aussitôt, Charlie emboîte le pas à la petite troupe. On arrive à l'endroit où les enfants ont laissé leur matériel de camping. Pour se déplacer, le chimpanzé pose ses poignets sur le sol, et n'arrête pas de pousser des cris bizarres qui roulent au fond de sa gorge avant de franchir ses babines toujours en mouvement.

Au début, un peu effrayé, Berlingot marche derrière lui à bonne distance. Soudain, Charlie paraît deviner ses craintes. Il se retourne brusquement, attrape le petit singe et le perche sur sa haute épaule ! Berlingot se cramponne à lui, ne sachant pas encore s'il doit se réjouir ou s'affoler.

— Dommage que je n'aie pas mon appareil

photo ! s'écrie Annie. Regardez-les !... On dirait que Berlingot n'a plus peur du tout !

Cédric attend que les Cinq choisissent l'emplacement exact où ils veulent planter leurs tentes. Puis, il désigne le matériel de camping et ordonne à Charlie :

— Prends ça, Charlie, et suis-nous !

L'animal allonge ses grands bras, puis attrape les tentes, les piquets et les sacs de couchage.

— Maintenant, dépose les affaires ici et retourne chercher ce qui reste ! Dépêche-toi. Bah, alors ? Pourquoi tu es planté là sans rien faire !...

En effet, Charlie ne bouge pas. Claude suit la direction de son regard et comprend :

— Oh ! Je crois qu'il voudrait que Berlingot aille avec lui. Vas-y, Berlingot ! Remonte sur l'épaule de ton nouveau copain !

D'un bond, le petit singe s'exécute. Aussitôt, le chimpanzé se met en route pour aller chercher les affaires. Enfin, les jeunes vacanciers commencent à monter les tentes. Charlie suit le travail avec intérêt. Plus d'une fois, même, il donne un coup de main.

— Il est serviable, hein ? demande Cédric, fier de son ami. Il sait se rendre utile et ne rouspète jamais. Vous avez remarqué comme il a enfoncé ce piquet juste au bon endroit ? Il faut que vous le voyiez, quand il transporte des seaux d'eau pour les chevaux. C'est son travail quotidien en dehors des représentations. Il porte un seau dans chaque main.

— Ton grand-père devrait le payer ! plaisante Mick.

— Mais il le paie ! réplique Cédric en riant. Il reçoit chaque jour huit bananes et autant d'oranges qu'il veut. Quelquefois aussi, on lui donne des bonbons. Il adore les sucreries.

— Eh ! Tu m'y fais penser ! réagit Pilou en fouillant dans sa poche.

Il finit par trouver ce qu'il cherche : un fond de sac de caramels, malheureusement si bien collés les uns aux autres qu'ils ne forment plus qu'une masse poisseuse.

— Tu ne peux pas lui offrir ça ! proteste Annie. Ces vieux bonbons à moitié fondus !

Mais Charlie n'a pas du tout l'air dégoûté. Il arrache presque le sachet des mains de Pilou, le flaire... et met le tout dans sa bouche !

— Il va s'étouffer ! s'écrie François, inquiet.

— Lui, s'étouffer ! Tu ne connais pas Charlie, déclare Cédric. Laisse-le faire. Il va retourner droit à sa cage, entrer, pousser le verrou et s'asseoir dans un coin pour sucer ses caramels jusqu'à ce qu'il les ait finis !

— De toute façon, il méritait bien une récompense, estime Claude. C'est lui qui a fourni le plus d'efforts. Finissons vite de tout ranger... après, il faudra réfléchir à notre dîner.

— Venez manger avec nous, si vous voulez, propose soudain Cédric. Je vous invite. C'est ma grand-mère qui fait la cuisine pour toute la troupe. C'est un vrai cordon bleu !

— Vraiment ? questionne François, perplexe. Il n'y aura peut-être pas assez pour cinq personnes de plus ! Il vaudrait mieux qu'on apporte notre propre repas. De toute manière, Jeanne, la cuisinière de M. Lagarde, nous aura préparé quelque chose. Je crois qu'elle parlait de pâté en croûte, de salade de tomates, de pommes et de bananes.

— Chut ! Ne prononce pas le mot « banane » devant Charlie, conseille Cédric. Il ne te laisserait plus tranquille une seule minute. Il en est fou ! D'accord pour ce soir. Apportez vos provisions et on partagera tout autour d'un bon feu de camp. Je vais prévenir mamie. Ça tombe bien, Fred le violoniste a promis de nous jouer ses nouveaux morceaux ce soir ! Quand vous l'entendrez, vous serez épatés !

Les jeunes campeurs sont ravis.

— Il faut aller prévenir Jeanne, décrète Mick. On reviendra aussi vite que possible. Merci pour ton aide, Cédric ! Allez, viens, Berlingot. Dis au revoir à ton ami Charlie. Et ne fais pas cette tête-là ! Tu le reverras tout à l'heure.

Claude, Mick, François, Annie et Pilou franchissent de nouveau la barrière séparant le pré du jardin de la villa. Ils commencent à se sentir un peu fatigués de leur journée. Cela ne les empêche pas de parler de l'agréable soirée qu'ils ont encore devant eux. Pilou lui-même se met à partager l'enthousiasme de ses amis.

— Ce soir, dit-il, on aura un peu l'impression de faire partie du cirque !

Quand ils viennent la trouver dans la cuisine, Jeanne écoute avec attention ce que les enfants lui racontent.

— Je vais vous donner des plats froids, décide-t-elle. Un gros pâté en croûte, de la mortadelle, un concombre, de la laitue et des tomates du jardin, des petits pains, des pommes et des bananes. Ça vous suffira ?

— Bien sûr ! s'écrie Pilou qui n'en espérait pas tant. Mais il ne faut pas oublier la boisson.

— Prenez autant de bouteilles d'eau et de jus de fruits que vous voulez. Mais attention à ne pas faire de bruit en les empilant dans le panier : M. Lagarde a travaillé dur toute la journée et il est fatigué.

— Fatigué... et de mauvaise humeur, je suppose ! avance Pilou en grimaçant.

— On pourrait avoir quelques morceaux de sucre pour donner aux chevaux ? questionne Annie.

— Évidemment ! Et n'oubliez pas non plus la pâtée de Dagobert. Elle est là, toute prête. Il pourrait même la manger immédiatement, ce serait plus simple.

Dago ne se fait pas prier pour dévorer son suc-

69

culent repas. Pendant ce temps, les enfants rassemblent leurs provisions. Quand tout est prêt, ils souhaitent bonne nuit à Jeanne et emportent leurs victuailles.

Quand la petite troupe arrive dans le pré, le soleil se couche déjà à l'horizon. Tous se réjouissent à l'avance du dîner autour du feu de camp. Pas de doute : ce sera un dîner extraordinaire !

chapitre 9

Une soirée pas comme les autres

Dès que Cédric aperçoit ses nouveaux amis qui reviennent, il court vers eux pour les aider à porter leurs provisions. Il est enchanté à l'idée de recevoir des invités de son âge. Solennellement, il les conduit auprès de son grand-père qui les accueille avec un sourire de bienvenue.

— Nous ne dînerons pas avant encore un bon moment, explique M. Barbarino. D'ici là, tu pourrais faire faire un tour à tes camarades, Cédric. Ils seront contents de voir le cirque d'un peu plus près. La représentation n'a lieu que demain, mais ce soir nous répétons. La piste est déjà en place. Vous pourrez donc admirer quelques-uns de nos numéros !

Cette nouvelle inattendue provoque une explosion de joie. En effet, un peu plus loin, un immense anneau délimite la piste. Les jeunes vacanciers se précipitent au moment même où les chevaux danseurs font leur entrée sous la direction de Mady, une charmante jeune fille portant un costume doré.

— Ils sont tellement beaux ! soupire Annie, admirative. Regardez comme ils font onduler les grandes plumes qui ornent leur tête !

L'orchestre attaque un air entraînant et bien rythmé. Immédiatement, les chevaux se mettent à trotter en mesure. Ils font plusieurs tours de piste, puis Mady grimpe sur le dos du premier d'entre eux et se met debout alors qu'il passe au galop. Après d'autres acrobaties, elle quitte la piste avec ses animaux.

C'est Fred le violoniste qui lui succède. Pendant quelques minutes, il tient ses auditeurs sous le charme d'un morceau lent et solennel qui, peu à peu, précipite son rythme pour devenir finalement si endiablé que les enfants se mettent à sautiller sur place.

— Je ne peux pas m'empêcher de danser ! constate Annie, hors d'haleine. Mes pieds bougent tout seuls.

La musique de Fred a vraiment quelque chose d'ensorcelant. Les enfants en ont bientôt une nouvelle preuve quand Charlie, le chimpanzé, paraît soudain. Au lieu d'utiliser ses quatre membres pour marcher, comme il le fait d'habitude, il s'avance debout sur ses pattes de derrière. Il semble immense.

Il rejoint les enfants, puis se met, lui aussi, à valser. Quand Fred s'arrête de jouer, le grand singe se précipite sur la piste et entoure les jambes du violoniste de ses bras velus.

— Il aime beaucoup Fred, explique Cédric. Et maintenant, c'est à lui de répéter. Il va jouer au tennis, et je dois lui servir de partenaire.

À son tour, Cédric passe sur la piste. Charlie s'avance gravement à sa rencontre et lui donne l'accolade. Une petite fille apporte des raquettes aux deux joueurs. Charlie s'empare de la sienne et, la tenant à bout de bras, l'agite en l'air, comme pour s'exercer.

La partie commence alors. Cédric lance une balle que Charlie attrape aussitôt. Puis il en lance une autre, une autre encore, à une vitesse de plus en plus rapide. Charlie les rattrape toutes.

Soudain, le chimpanzé court vers son adversaire et lui arrache sa raquette. Ça fait partie de leur numéro ! L'animal tient maintenant une raquette dans chaque main. Cédric se met à lui envoyer les balles à toute allure. Charlie les rattrape un coup avec une raquette, un coup avec l'autre. À un moment, il en manque une. Alors, il jette les deux raquettes comme s'il était vexé et se roule par terre en poussant des cris de colère.

— Eh, oui ! Tu as perdu ! crie alors Cédric.

73

Charlie n'attend que ces paroles pour jouer la seconde partie de son numéro. Il se relève d'un bond, ramasse sa raquette d'un air plus furieux que jamais et se met à poursuivre son maître tout autour de la piste. À la fin, il lui lance la raquette à la tête (Cédric, qui s'y attend, n'a aucun mal à l'éviter) et il quitte la piste en bougonnant !

Les enfants se tiennent les côtes de rire. Ils n'ont jamais assisté à une partie de tennis aussi comique.

— Ce Charlie ! s'esclaffe Mick. Un vrai clown. Il fait son numéro tous les soirs ?

— Bien sûr ! confirme Cédric. Quelquefois, on invite un spectateur à venir faire quelques échanges. Il ne rate jamais une balle.

— Ça m'amuserait bien d'essayer, murmure Pilou.

— Si tu demandes la permission à papi, il acceptera sans doute, dit Cédric en souriant.

Pilou rougit. Il est un peu gêné d'avoir voulu interdire l'accès de « son » pré aux Barbarino... Non seulement il se rend compte que Cédric est très sympathique, mais surtout, il se prend à rêver de vivre, lui aussi, dans un cirque !

Soudain, Charlie s'approche et, sans prévenir, enlace son maître de ses grands bras et tente de lui faire perdre l'équilibre ! Le jeune garçon se dégage vivement.

— Hé, attention ! Tu ne connais pas ta force et

tu pourrais me faire mal sans le vouloir. Tiens... regarde plutôt l'âne danseur qui vient d'entrer en piste !

L'âne en question a une allure très étrange. Il a un pelage d'un beau gris sombre, et Annie constate qu'il agite fièrement la tête, pendant qu'il fait un premier tour de piste en galopant.

Soudain, il s'immobilise et regarde autour de lui. Puis il s'assoit brusquement, lève une patte et se frotte le museau. Annie écarquille les yeux d'étonnement. Elle n'a jamais vu un tel animal !

Et voilà que l'orchestre se remet à jouer. On voit alors l'âne se relever et écouter de toutes ses oreilles qu'il secoue dans une direction puis dans une autre. Il hoche la tête bien en mesure.

L'orchestre attaque un morceau particulièrement entraînant. L'âne paraît écouter plus attentivement que jamais, puis il se met à marcher en suivant le rythme de la musique, tout autour de la piste : clip-clop, clip-clop, un-deux, un-deux !

À un certain moment, il paraît fatigué et s'assoit lourdement, comme s'il n'en pouvait plus. Les enfants éclatent de rire. L'animal veut alors se relever mais il semble s'y prendre mal et ses pattes de derrière s'emmêlent avec ses pattes de devant. Il retombe dans un mouvement ridicule ! Les rires redoublent. Annie est la seule à s'inquiéter.

— J'espère qu'il ne s'est pas fait mal, commente-t-elle. Le pauvre ! Il finira par se casser une patte

75

s'il continue comme ça ! Oh ! Cédric ! Va l'aider ! Il s'emmêle de plus en plus !

L'âne pousse un braiment lamentable, essaie une nouvelle fois de se lever et retombe encore un coup.

Alors, l'orchestre change d'air, et l'âne, subitement requinqué, bondit sur ses quatre pattes et se lance dans une danse désordonnée qui, presque aussitôt, se transforme en claquettes. Clic-clicliclic-clic-clac ! Clic-clicliclic-clic-clac ! Incroyable !

Annie reste bouche bée. Cet âne est vraiment extraordinaire. Soudain, la bête se baisse, et sa tête commence à s'agiter frénétiquement. Tout d'un coup, elle se détache du corps et tombe par terre. La benjamine des Cinq pousse un hurlement de frayeur.

— Bah alors, Annie ! s'écrie Mick. Tu croyais que c'était un *vrai* âne ?

— Qu… quoi ? bredouille sa sœur, sans comprendre.

Sur la piste, l'animal vient de se séparer en deux. Un homme surgit de chacune des moitiés !

— Un costume ! s'écrie Pilou. J'adorerais en avoir un comme ça ! Ce serait si drôle ! Tu ne crois pas, Mick ? Tu pourrais jouer les pattes de derrière et moi celles de devant.

Mick n'a pas le temps de répondre. Déjà, le prochain numéro débute ! C'est le tour de Franck, le lanceur de couteaux, qui entre en piste avec sa cible et ses lames pointues. Les enfants frémissent. Mais il s'est à peine mis en place, qu'une discussion assez violente s'engage entre les deux hommes déguisés en âne danseur et les musiciens de l'orchestre.

— Pourquoi vous jouiez aussi vite ? demandent les deux artistes. Vous savez bien qu'on ne peut pas vous suivre à une telle allure. Vous vouliez gâcher notre numéro ou quoi ?

Les musiciens crient en retour quelque chose que les enfants n'entendent pas. La réplique a dû être assez brutale, car les deux hommes serrent les poings et font mine de se jeter sur les autres.

À la même seconde, une voix autoritaire s'élève. Tout le monde tressaille. C'est M. Barbarino, le vieux grand-père.

— Assez ! rugit-il. Tonio et Beppo ! Sortez immédiatement de cette piste. Et toi, Harold, tu as beau être le chef d'orchestre, j'aurai un mot à te dire tout à l'heure.

Tonio et Beppo se retirent aussitôt, emportant la costume d'âne avec eux.

Franck, le lanceur de couteaux, reprend son rôle. Il a une allure très banale, avec sa vieille veste de flanelle grise.

— Bien entendu, explique Cédric à ses amis, il porte un costume quand il se présente devant le public. Vous pourrez l'admirer demain, pendant le spectacle. Ce soir, son entraînement ne durera pas longtemps, mais il est capable d'enchaîner une série

77

d'exploits extraordinaires. Il a aussi un numéro de tireur d'élite. Avec un faux revolver, il peut viser n'importe quelle cible, même une minuscule pièce de monnaie jetée en l'air très haut ! Il la touche à tous les coups, et en plein vol. Il est parfois accompagné d'un petit cheval… une pure merveille. Il fait le tour de la piste sans le moindre écart, alors que le pistolet de son maître lui détone aux oreilles. Ah, justement, le voilà !... Regardez-le. Il ne quitte pas Franck des yeux, prêt à répondre à son premier appel.

Un très joli petit cheval blanc se tient en effet à l'entrée de la piste, suivant des yeux tous les mouvements de son maître. Il piaffe même sur place comme pour lui dire :

« Dépêche-toi. Je t'attends ! Tu vas me faire signe d'avancer, à la fin ? »

Pourtant, juste au moment où Franck s'apprête à appeler sa monture, M. Barbarino intervient de nouveau.

— Ça suffit pour ce soir, Franck. On m'a dit que ton cheval s'était légèrement blessé à la jambe... Laisse-le se reposer jusqu'à demain.

— D'accord, patron. Merci ! répond le lanceur de couteaux.

Il fait un petit salut au directeur du cirque et court prendre son cheval blanc par la bride.

— C'est quoi, le prochain numéro, Cédric ?

demande Claude qui apprécie beaucoup cette répétition pleine d'imprévus.

— Je n'en sais rien. Les numéros ne se suivent dans un ordre fixe que pendant les représentations. Ah ! Voilà les acrobates... mais comme le chapiteau n'est pas encore dressé, ils ne peuvent pas se servir de leurs trapèzes. Ils s'exerceront demain matin seulement. Je pense que c'est le tour de l'homme-serpent. Oui, le voilà qui arrive. C'est un des meilleurs contorsionnistes du monde, vous savez ! Je l'aime bien. Il m'offre souvent des bonbons et des magazines.

L'homme-serpent a une silhouette très particulière. Il est immense et d'une maigreur incroyable. Il fait son entrée en piste avec simplicité. Brusquement, il paraît se disloquer. Ses jambes plient mollement aux genoux, tandis que ses chevilles se déboîtent. Il s'affaisse en tas sur le sol, comme s'il était incapable de marcher. C'est très impressionnant !

Puis il se met à enrouler ses bras de plusieurs façons. Sa tête elle-même pivote si loin sur son cou qu'il peut regarder derrière lui ! Pas de doute, il mérite bien son nom d'homme-serpent !

— En plus, précise Cédric, à la représentation, il porte un collant qui imite des écailles. Son corps ondule vraiment comme celui d'un python !

— Je me demande comment il fait, murmure François, intrigué.

79

— Il s'entraîne depuis son enfance. Ses muscles sont si bien exercés que, pour lui, toutes les positions sont devenues faciles. Nous, on se casserait les os si on essayait de l'imiter ! Je vous le présenterai tout à l'heure si vous voulez. C'est mon ami. Il est très gentil et je suis sûr qu'il vous plaira !

Annie en doute. L'homme-serpent lui paraît un peu effrayant, quand même.

Soudain, les enfants sursautent. Une trompette, quelque part, sonne avec force.

— C'est pour annoncer que le dîner est prêt, explique Cédric. Vite ! Allons rejoindre les autres autour du feu de camp !

chapitre 10

Autour du feu de camp

Tout joyeux, Cédric entraîne ses amis loin de la piste. Comme celle-ci est brillamment éclairée, la nuit semble d'autant plus sombre au-delà.

Une gigantesque marmite est suspendue au-dessus d'un feu de camp. Une odeur délicieuse s'en échappe.

La grand-mère Barbarino est là et surveille la cuisson de son repas. Elle remue son ragoût dès qu'elle aperçoit les enfants et son mari.

— Tu es resté bien longtemps sur la piste, dit-elle à ce dernier. Quelque chose n'allait pas ?

— Tout allait très bien, au contraire... J'ai une faim de loup. Et ça sent tellement bon... Allons, Cédric, aide ta grand-mère !

81

— D'accord ! acquiesce le garçon en faisant passer les assiettes.

Les parents de Cédric et ses deux petites sœurs (dont celle qui a conduit François en lui tenant la main) sont là aussi. Tous reçoivent une énorme portion de viande et des légumes mijotés. Le vieux Barbarino se tourne vers ses convives.

— Alors ? leur demande-t-il. Avez-vous apprécié notre petite répétition ?

— Oh ! Oui ! assure Claude avec conviction. Dommage qu'on n'ait pas pu admirer tous les numéros, y compris les acrobates et les clowns.

— Tenez, dit en riant le grand-père de Cédric, voilà justement un clown qui passe... oui, cet homme, en compagnie de Mady.

— Lui ! Un clown ? s'écrie Mick, surpris. Mais il n'a pas l'air drôle du tout. Il semble même affreusement triste !

— C'est pourtant notre célèbre Bingo. C'est de loin le plus comique quand il est sur la piste ! Demain soir, il fera rire notre public aux larmes. Mais dans la vie privée, il n'est pas gai du tout. L'autre clown, Pink, est beaucoup plus dynamique, mais en piste, il a moins de succès. D'ailleurs, le voilà qui s'approche de Mady à pas de loup et qui lui tire les cheveux...

La jeune écuyère, surprise par le geste du clown, se retourne avec vivacité et lui donne une tape légère sur la joue gauche. Immédiatement Pink se met à hurler en se frottant la joue droite.

— Hou ! là ! là ! Elle m'a frappé ! Hi, hi, hi ! Que j'ai mal !

Les enfants se mettent à rire en écoutant ses gémissements exagérés.

— Assez, Pink ! crie M. Barbarino. Recommence ce petit numéro demain soir devant le public et je te prédis un joli succès !

Le clown s'éloigne en riant.

— Il y a encore un membre de votre troupe qu'on n'a pas vu à la répétition, déclare Mick au directeur du cirque. C'est le calculateur prodige que vous annoncez sur les affiches, « Le Magicien des Chiffres ».

— Oh ! Karkos ne répète jamais, explique M. Barbarino. Il n'en a pas besoin. Il se décidera peut-être à venir nous dire bonsoir tout à l'heure. Il ne fait que ce qui lui plaît. C'est un personnage étrange.

— Mais ce n'est pas un vrai magicien ? interroge Annie d'une voix timide.

— Eh bien, plaisante M. Barbarino, je me pose quelquefois la question. Il connaît les chiffres à fond, et il est capable de résoudre n'importe quel type de problème. Demandez-lui de multiplier un nombre de douze chiffres par un autre de quinze chiffres, et il vous donnera le résultat en un clin d'œil. Il devrait être inventeur... un inventeur obligé

83

de jongler avec des chiffres et des formules à longueur de journée.

— Comme mon père, alors ! s'écrie Pilou. C'est un grand savant, vous savez... Parfois, quand je me glisse dans son bureau, j'aperçois des pages et des pages de chiffres, des plans, des graphiques…

— Très intéressant, murmure M. Barbarino. Ton père et Karkos devraient se rencontrer. Ça les amuserait peut-être de parler chiffres ensemble !

— Grand-père ! l'interpelle soudain Cédric en se levant. Justement, M. Karkos arrive…

Les enfants lèvent les yeux vers le nouveau venu. Le fameux « Magicien des chiffres » ! Il n'est vraiment pas comme tout le monde. Il se tient debout, un demi-sourire aux lèvres, grand, dominateur, un peu énigmatique. Son épaisse chevelure est aussi noire que du charbon. Ses yeux reflètent les flammes du feu de camp. Sa barbiche est taillée en pointe. Sa voix est étrangement grave.

— Vous avez des invités, ce soir ? demande-t-il à M. Barbarino. Puis-je m'asseoir un instant avec vous ?

— Oh oui ! répond Mick, excité de parler au célèbre magicien. Vous voulez un morceau de pâté en croûte ?

M. Karkos accepte de bon cœur et s'assoit près des enfants, jambes croisées.

— Dommage qu'on ne vous ait pas vu, à la répétition, déclare Claude.

— Mon père serait capable de calculer aussi vite que vous ! assure Pilou qui ne peut s'empêcher de fanfaronner. Lui aussi, c'est un magicien des chiffres. Il est inventeur !

— Inventeur ! répète M. Karkos en savourant son pâté en croûte. Et qu'est-ce qu'il invente ?

Il n'en faut pas plus pour que Pilou se mette à décrire toutes les choses merveilleuses qui sont sorties du cerveau fertile de son père.

— Il est capable de concevoir n'importe quoi, affirme-t-il fièrement. Il y a quelque temps, il a imaginé un nouveau système de pilotage automatique pour les avions. Et récemment, il a inventé plusieurs sortes de radars ultra-perfectionnés.

M. Karkos paraît soudain très intéressé.

— Attends un peu ! coupe-t-il. Oui, j'ai entendu parler de ces inventions, en effet ! Mais je n'ai jamais su exactement à quoi elles servaient…

— C'est normal : elles sont encore secrètes ! répond Pilou.

— Ton père doit être très intelligent.

Pilou est touché du compliment. Il rayonne d'orgueil.

— Les journaux ont publié des articles sur ses dernières découvertes, poursuit-il fièrement. Des reporters sont venus à la maison pour l'interviewer, et on voulait même le faire passer à la télévision, mais il n'a pas voulu. Ça se comprend… Il travaille en ce moment sur une nouvelle idée qui doit révolutionner le monde ! Alors, évidemment, il ne tient pas à ce que des journalistes viennent lui faire perdre son temps. Pourtant, il y a toujours des curieux qui se faufilent dans le jardin de la villa avec l'espoir d'admirer sa tour de près.

— Sa tour ? Quelle tour ? questionne M. Karkos, surpris.

Pilou est sur le point de répondre, quand il reçoit un coup de coude de François. Il se tourne et voit que l'aîné des Cinq lui fait les gros yeux. Claude aussi le foudroie du regard. Pilou devient subitement très rouge. Il se rappelle que son père lui a bien recommandé de ne jamais parler de ses travaux ! Ses recherches doivent rester secrètes.

Alors, il fait mine de s'étouffer et se met à tousser dans sa manche, en espérant que ses amis en profiteront pour détourner la conversation sur un autre sujet... ce que François s'empresse de faire.

— Oh ! Monsieur Karkos ! lance-t-il au calculateur prodige. Vous accepteriez de nous montrer vos talents ? Il paraît que vous trouvez le résultat de n'importe quelle opération en un temps record !

— C'est vrai, confirme M. Karkos. Les chiffres n'ont pas de secrets pour moi. Posez-moi n'importe quel problème, et je vous donnerai immédiatement la réponse.

— Eh bien ! s'écrie Pilou, multipliez 63 342 par 80 953 ! Ha ! Ha ! Pas si simple !

— Le résultat est 5 127 724 926 ! répond simplement l'artiste. Ta question était facile.

— Pas possible ! s'exclame Pilou, stupéfait. Je ne sais même pas si c'est le bon résultat !

Rapidement, il fait la multiplication sur un bout de papier, ce qui lui demande un long moment.

— Exact ! conclut-il, admiratif.

— À mon tour ! enchaîne Claude. Combien fait 602 491 multiplié par 352 ?

— 212 076 832 ! déclare M. Karkos sans attendre.

Une fois encore, Pilou vérifie sur son papier.

— Incroyable… murmure-t-il. Comment vous faites ?

— C'est un truc de magie... de magie élémentaire, assure M. Karkos. Je suis sûr que ton père serait capable de calculer aussi vite que moi ! D'ailleurs, je serais très heureux si je pouvais le rencontrer. On aurait certainement beaucoup de plaisir à discuter ensemble. J'imagine qu'il doit avoir peur qu'on lui vole ses secrets, non ?

— Je ne crois pas. Ses plans sont en sûreté. Sa tour offre une bonne cachette et...

Il s'arrête net et rougit de nouveau. François vient de lui allonger un deuxième coup de coude. Comment peut-il être assez bête pour révéler que les plans secrets de son père sont cachés dans la tour ?

Pour éviter de nouvelles gaffes de Pilou, l'aîné

87

des Cinq décide de l'éloigner de M. Karkos. Il jette un œil sur sa montre et fait semblant d'être horrifié par l'heure tardive.

— Ça alors ! Le temps a filé vite ! On avait promis à Jeanne d'aller lui dire bonne nuit avant de nous coucher ; elle doit se demander où on est passés. Allez, viens, Pilou. Et les autres, aussi ! Il faut partir. Merci beaucoup pour votre invitation, ajoute-t-il en se tournant vers le directeur du cirque et sa femme.

— Mais vous n'avez pas terminé votre repas ! s'écrie M. Barbarino, surpris. Et Fred le violoniste n'est pas encore venu !

— C'est vrai, mais on ne peut pas faire attendre Jeanne plus longtemps, déclare Claude, sautant sur le prétexte imaginé par son cousin.

Elle se lève, et les autres l'imitent.

— Mangez au moins vos bananes, insiste Mme Barbarino.

— Oh ! On les avait apportées pour Charlie, prétend Mick en faisant une légère entorse à la vérité.

Pilou, qui est gourmand, commence à protester, mais les autres l'arrêtent. Ils l'entraînent vivement.

Quand la petite bande se retrouve dans le jardin de M. Lagarde, François et Claude se précipitent sur Pilou.

— Tu le fais exprès, ou quoi ? lui jette François furieux. Tu ne t'es pas rendu compte que Karkos essayait de te faire parler des secrets de ton père ?

— Mais non ! tempère Pilou. Tu exagères toujours. De toute façon, je n'ai rien dit ! Et M. Karkos a l'air très honnête. Je me demande de quoi vous le soupçonnez !

— Tout ce que je sais, intervient Mick, c'est que ce type ne m'inspire pas confiance. Et toi, tu lui as raconté bien gentiment tout ce qu'il a voulu. Ton père serait fou de rage s'il l'apprenait !

C'en est trop pour Pilou. Il sent les larmes lui monter aux yeux. Pivotant sur ses talons, il s'enfuit en direction de la villa, serrant Berlingot dans ses bras.

En passant près de la tour, il voit une lumière briller tout en haut. Le professeur Lagarde est en plein travail. Pilou reste là un moment, à ravaler ses larmes. Soudain, la lumière s'éteint.

« Papa va rentrer se coucher, pense le garçon. Je devrais en faire autant. Je n'ai pas le courage de rejoindre les autres sous la tente. Je ne supporte plus leurs reproches ! »

Sans bruit, il se faufile dans la maison et monte jusqu'à sa chambre.

« Je n'arriverai jamais à m'endormir ! » songe-t-il en se glissant entre ses draps.

Pourtant, moins de cinq minutes plus tard, il est plongé dans un profond sommeil.

*U*ne nuit étrange

En voyant Pilou s'éloigner d'eux à toutes jambes, François et les autres n'ont pas tenté de le retenir.

— Qu'il aille bouder dans son coin ! murmure l'aîné des Cinq.

— C'est dommage, qu'il ne campe pas avec nous, regrette Annie. Je ne pense pas qu'il ait fait exprès de raconter les secrets de son père…

— Tu parles ! proteste Claude. Il a une cervelle de moineau ! Au moins, il devrait retenir la leçon !

Elle bâille soudain, et Dagobert en fait autant. Puis c'est le tour de Mick.

— C'est contagieux ! remarque-t-il en riant.

En fait, tout le monde est épuisé !

— On ferait bien d'aller se coucher, suggère

91

François. La nuit est chaude et le temps sec. Un beau croissant de lune brille dans le ciel étoilé. Parfait pour une première soirée de camping !

Les autres acquiescent.

— Bonne nuit, les filles, marmonne Mick dont les yeux se ferment déjà.

Quelques instants plus tard, François, Mick, Claude et Annie sont pelotonnés dans leurs sacs de couchage et profondément endormis. Aucun bruit ne s'élève de leur petit camp.

Un peu plus loin, le cirque, lui aussi, se repose tranquillement, bien que l'on voie encore quelques lumières briller çà et là parmi les caravanes. Quelqu'un, même, joue du banjo en sourdine. Mais cette musique est si faible qu'elle ne trouble pas vraiment le silence.

Quelques nuages cachent la lune. Les dernières lueurs du cirque s'éteignent une à une. Le vent agite le sommet des arbres. Une chouette ulule.

Dans le vaste pré, personne n'entend le léger bruit qui, soudain, révèle la présence de quelqu'un qui s'avance au milieu des caravanes. Personne ne voit non plus la silhouette qui se glisse à pas furtifs de voiture en voiture. Les artistes du cirque dorment aussi profondément que le Club des Cinq.

Dagobert, lui aussi, sommeille. Tout à coup, sans savoir pourquoi, il se réveille. Il ne bouge pas, mais ses oreilles se dressent, et il écoute avec attention. Puis il gronde sans pour autant tirer Claude de son sommeil. Il n'aboiera pas, tant que l'inconnu qui circule dehors ne s'approchera pas des tentes de ses amis.

Soudain, un grognement bizarre lui parvient. Il le reconnaît aussitôt : c'est Charlie, le chimpanzé !... Bon ! C'est un ami ! Il n'y a pas à se tracasser ! Et là-dessus, Dagobert se rendort.

À la villa, Pilou, dans son lit, ronfle bruyamment, Berlingot à ses pieds. Il n'entend pas un faible son provenant de la cour qui sépare la maison de la tour. Ce bruit est à peine audible : on dirait le frottement des pas sur la pierre...

C'est alors que Jeanne, soudain, se réveille.

« Je meurs de soif ! » pense-t-elle en ouvrant l'œil.

Sans allumer sa lampe de chevet, elle tend la main vers le verre d'eau qu'elle laisse chaque soir à côté d'elle. Au moment où elle le repose, son oreille perçoit un son bizarre.

« Ce ne sont pas les enfants, songe-t-elle. J'ai aperçu Pilou qui regagnait sa chambre tout à l'heure, et les autres campent dans le pré... J'espère que ce n'est pas un cambrioleur... ou un espion à la recherche des précieux secrets du professeur ! Encore heureux qu'il enferme les plus importants dans la tour ! »

Elle patiente quelques minutes, aux aguets. Alors, elle entend à nouveau le bruit suspect. Cette fois, elle s'inquiète sérieusement.

93

« On dirait que ça vient de la tour, pense-t-elle en se levant. Pourtant, je ne vois aucune lueur de ce côté ! »

La tour, en effet, reste plongée dans l'obscurité. La lune est toujours voilée par les nuages. Jeanne, debout devant sa fenêtre, attend que le vent veuille bien dégager le ciel. Elle frémit : voilà qu'un chuchotement s'élève de la cour !

Cette fois, Jeanne a vraiment peur. Elle comprend qu'il faut au plus vite réveiller M. Lagarde. Il s'agit peut-être de quelqu'un cherchant à s'emparer des plans de son invention secrète !

Au même moment, la lune surgit enfin de derrière les nuages, et Jeanne regarde par la fenêtre. Alors, elle pousse un cri perçant, et se rejette en arrière.

— Au voleur ! hurle-t-elle. Un homme est en train d'escalader le mur de la tour... Monsieur Lagarde ! Monsieur Lagarde ! Vite ! Vite ! Au voleur ! Au secours ! Appelez la police !

Elle se précipite hors de sa chambre.

— Au voleur ! Arrêtez-le ! Professeur !

Cette fois, le père de Pilou se réveille en sursaut, bondit hors de son lit et se rue dans le couloir où il manque de heurter la cuisinière. Il ne la reconnaît pas tout de suite et, croyant que c'est elle le voleur, il l'empoigne d'une main ferme. Jeanne, de son côté, s'imagine qu'elle est attaquée par un inconnu et s'égosille encore plus fort. Tous deux

94

luttent quelques secondes avant de s'apercevoir de leur erreur.

— Jeanne ! s'écrie M. Lagarde, en allumant la lumière. Pourquoi hurlez-vous ?

— Professeur ! répond-elle, encore haletante de s'être débattue. Il y a des voleurs dans la maison... ou plutôt dans la cour. J'en ai vu un en train de grimper le long de la tour... Il devait y en avoir d'autres en bas. Je les ai entendus chuchoter. J'ai eu si peur ! Vous devriez téléphoner à la police !

— Hum... murmure le professeur, incrédule. Vous êtes sûre que vous n'avez pas fait un mauvais rêve, Jeanne ?

— Non ! réplique la cuisinière. Si vous ne me croyez pas, prenez une lampe de poche et allons voir si quelque chose est arrivé. Vous savez bien que vous avez des documents précieux enfermés dans cette tour...

— Je sais. Mais tout semble très paisible. J'ai jeté un coup d'œil dans la cour avant de quitter ma chambre et je n'ai rien vu. Et puis, vous savez bien que personne ne peut pénétrer dans ma tour. Il faut trois clefs différentes : une pour la porte du bas, une pour la porte à mi-hauteur, et la dernière pour la porte du haut. Personne ne peut s'être servi de mes trois clefs... D'ailleurs, regardez, ajoute-t-il en poussant la porte de sa chambre. Elles sont toutes là, sur ma commode.

Jeanne paraît se calmer un peu. Pourtant, elle n'est pas entièrement rassurée.

— Je suis certaine d'avoir entendu chuchoter et aussi d'avoir vu une ombre grimper le long de la tour. Et quand je dis grimper... elle descendait peut-être, au contraire. S'il vous plaît, monsieur, venez avec moi. Toute seule, je n'oserais pas. Et je ne pourrais pas me rendormir avant d'avoir vérifié si, oui ou non, quelqu'un a forcé la porte de la tour ou s'est servi d'une échelle pour y monter.

— D'accord, Jeanne, accepte le professeur en poussant un soupir. Allons voir de quoi il retourne. Nous contrôlerons la fermeture de toutes les portes... et nous vérifierons aussi pour l'échelle. Mais, vous savez, il en faudrait une gigantesque pour atteindre le sommet de cette tour ! Le voleur devrait être d'une force surhumaine pour transporter une échelle d'une telle longueur.

Quelques minutes plus tard, Jeanne et M. Lagarde se retrouvent dans la cour, perplexes. Aucune trace d'échelle ! Aucune trace d'escalade sur le mur de la tour non plus ! Et la porte d'entrée : toujours fermée à clef !

— Ouvrez-la, suggère Jeanne, et allons voir si les autres portes sont aussi bien verrouillées !

— Vous exagérez, Jeanne, répond le professeur avec impatience. Prenez les clefs vous-même et allez vérifier. Mais à mon avis, c'est inutile : puis-

96

que la porte du bas est bloquée, les autres le sont aussi ! Bon, dépêchez-vous...

Jeanne, tremblante, introduit une grosse clef dans la serrure de la porte d'entrée. Elle rentre prudemment et commence à monter l'escalier en spirale. À mi-hauteur de la tour, la seconde porte l'arrête : celle-ci, comme la première, est verrouillée. Jeanne souffle, ouvre le battant et poursuit sa route. La troisième porte – celle du haut – est fermée comme les précédentes. Jeanne ne prend pas la peine de l'ouvrir. Elle pousse un soupir de soulagement et redescend sans oublier de refermer avec soin la porte du milieu et celle du bas. Après quoi, elle rend les trois clefs au professeur qui l'attend dans la cour.

— Tout est normal, assure-t-elle d'un air penaud. N'empêche que j'ai vu quelqu'un et que j'ai surpris des chuchotements… Je n'y comprends rien !

— Vous étiez si effrayée que vous avez dû imaginer un tas de choses, réplique M. Lagarde avec un bâillement. Mais vous voyez bien : le mur de la tour est tellement lisse que personne ne pourrait l'escalader. Il n'y a aucune prise où se tenir !

— Désolée de vous avoir dérangé, murmure la cuisinière. Heureusement que Pilou ne s'est pas réveillé.

— Comment ! s'exclame le professeur, étonné. Mon fils ne campe pas dans le pré avec les autres ?

97

— Heu... je pense qu'ils ont dû se disputer. Pilou est rentré seul et dort dans sa chambre.

— Ah ! Bon… ce sont leurs affaires. Retournez vous coucher et ne vous tracassez plus, Jeanne. Tout va bien. Demain, vous serez la première à rire de votre cauchemar.

Et il retourne se coucher, en songeant que Jeanne a vraiment trop d'imagination.

Pourtant, la cuisinière ne s'est pas trompée. Quelqu'un s'est bel et bien glissé dans le bureau secret du professeur, tout au sommet de la tour !

Le père de Pilou a un terrible choc, le lendemain matin, quand, après avoir traversé la cour, ouvert la porte d'entrée de la tour, grimpé l'escalier en spirale jusqu'en haut, il se trouve soudain devant un spectacle ahurissant...

Debout sur le seuil, le professeur n'en croit pas ses yeux. Tous ses papiers précieux, toutes ses notes secrètes sont éparpillés sur le plancher. *Tous*, vraiment ? M. Lagarde se jette à quatre pattes pour ramasser les feuilles et, très vite, s'aperçoit qu'il en manque plusieurs. Encore plus étrange, celles qui ont disparu semblent avoir été volées au hasard : quelques plans, quelques pages couvertes de chiffres, quelques lettres oubliées sur le bureau...

Le professeur constate aussi qu'une montre s'est envolée en même temps que les documents précieux.

Jeanne ne s'est donc pas trompée... Un cambrioleur est bien venu la nuit précédente. Un voleur capable de passer à travers trois portes verrouillées ou de dresser une échelle interminable et ensuite la remporter en quelques secondes sans faire de bruit ! C'est invraisemblable…

chapitre 12

Un mystère

Quand Jeanne lui apprend les événements de la nuit, Pilou paraît bouleversé.

— Ton père est dans tous ses états, explique la cuisinière. Il est sorti très tôt ce matin, parce qu'il avait un travail urgent à finir dans la tour, et, dès qu'il a ouvert la porte du bureau, il a vu ses documents par terre. Beaucoup ont disparu et...

— Mais c'est terrible ! C'est là que Papa gardait ses papiers les plus précieux... entre autres, les plans de sa dernière trouvaille. C'est un appareil extraordinaire, Jeanne...

— Chut ! Il ne faut pas souffler un mot de l'invention de ton père, même à moi, déclare Jeanne d'un ton sévère. Imagine si quelqu'un de mal intentionné pouvait t'entendre...

101

Pilou devient brusquement tout pâle. Il repense à hier, quand il discutait avec les artistes du cirque Barbarino. A-t-il trop parlé ? Préoccupé, il suit Jeanne à la cuisine et continue de l'interroger pour tenter d'obtenir plus de détails. La cuisinière lui explique qu'elle est sûre d'avoir entendu des chuchotements dans la cour pendant la nuit, et aussi d'avoir aperçu une ombre à mi-hauteur de la tour.

— D'après ton père, pour atteindre le sommet de la tour, il aurait fallu une échelle si longue qu'il était impossible de la faire entrer dans la cour. Mais le voleur s'est peut-être servi d'une échelle coulissante. Ces modèles sont légers et facilement transportables.

— C'est possible, reconnaît Pilou, l'air toujours très ennuyé. Tiens... regarde Berlingot ! Il t'écoute comme s'il comprenait ce que tu racontes.

Le petit singe saute dans les bras de son maître et se blottit contre lui. Il se met à frotter sa joue contre le menton du jeune garçon, comme pour le réconforter.

— Pilou, reprend Jeanne, tu ferais bien d'aller aider ton père. Il est là-haut, dans la tour, où il essaie de mettre un peu d'ordre parmi les papiers qui lui restent. Si tu avais vu la pièce après le passage du voleur...

Pilou se met en route, presque en tremblant. Et si son père devinait qu'il a trop parlé aux gens du cirque ? Qu'il s'est vanté en public de ses inventions ?

Heureusement, le professeur est bien trop occupé à trier et à classer ses papiers pour s'inquiéter des indiscrétions de son fils. Quand Pilou entre dans le bureau en haut de la tour, M. Lagarde finit de dresser la liste des documents volés.

— Ah ! Te voilà, Pilou ! s'écrie-t-il. C'est moins grave que je ne pensais. Le cambrioleur a agi d'une façon vraiment bizarre. Il a jeté par terre tous les papiers et n'en a emporté qu'une partie. Et on dirait qu'il les a sélectionnés au hasard puisqu'il a laissé les plus importants. Je les ai retrouvés sur le tapis. Quant à ceux qui ont été volés, je ne pense pas que le voleur pourra en tirer grand-chose : il faut être un vrai scientifique pour les comprendre, et encore à condition de posséder les autres… qui sont restés ici !

— Tu crois que le voleur reviendra chercher les feuillets qui lui manquent ? questionne Pilou.

— Sans doute. Mais il ne les trouvera pas. Je vais les cacher ailleurs.

— Papa, ne cache pas ces papiers toi-même ! avertit Pilou. Ou, au moins, dis-moi à quel endroit. Tu sais comme tu es : tu oublies tout ! Imagine si tu ne te rappelles pas où tu les ranges ! Et pour les feuillets qui ont été volés : tu as une copie, un double ?

— Non, mais je peux les reconstituer de tête,

103

affirme le professeur Lagarde. Il me suffira de recommencer mes calculs. Ça me fera perdre du temps, mais j'y arriverai. Allons, file maintenant, Pilou. J'ai du travail.

Pilou, pensif, descend l'escalier en spirale. Il doit surveiller son père de près pour s'assurer qu'il cache bien ses documents... et dans un endroit sûr.

« Pourvu qu'il ne fasse pas comme la dernière fois où il avait décidé de mettre des plans à l'abri : il les a fourrés dans la cheminée. Et le lendemain matin, Jeanne a failli y mettre le feu. Je n'arrive pas à comprendre que quelqu'un d'aussi génial que papa agisse parfois de façon aussi stupide ! »

Pilou va exposer ses préoccupations à Jeanne.

— Jeanne, lui dit-il, il paraît que le voleur a laissé les papiers les plus importants. D'après papa, il reviendra sûrement pour tenter de les prendre...

— Alors une seule solution : je dois me charger de dissimuler ces notes quelque part où personne ne sera capable de les dénicher. Mais où ?

— Moi, j'ai peut-être une idée... murmure Pilou. D'abord, je dois récupérer les papiers...

Jeanne réfléchit un instant.

— Écoute, dit-elle. Sous prétexte de finir de ranger le bureau, on va monter dans la tour et voir si ton père n'a pas déjà emporté ses notes pour les cacher quelque part ou si elles sont encore là. Dans ce cas, je me chargerai de les cacher.

 104

— D'accord ! approuve Pilou qui ne demande qu'à agir. Allons vite à la tour !

Pilou et la cuisinière passent dans la cour. Tout en la traversant, Jeanne examine le sol.

— Je cherche si l'échelle du voleur n'aurait pas laissé de traces ici ou là, explique-t-elle.

Mais elle ne distingue rien.

— Bizarre ! marmonne-t-elle. Je suis pourtant certaine d'avoir entendu des raclements contre le sol, cette nuit…

Elle lève les yeux et regarde le mur de la tour.

— Même un chat ne pourrait pas y grimper, constate-t-elle. Encore moins un homme. Il glisserait, forcément.

— Et pourtant, tu as dit avoir aperçu une ombre à mi-hauteur…

— Oui… soupire la cuisinière, mais je finis par croire que j'ai eu une hallucination… Allons, Pilou. Montons là-haut.

Tous deux gravissent l'escalier en spirale. Aucune des portes n'est fermée. Quand ils arrivent en haut, ils trouvent le bureau vide.

— M. Lagarde a dû aller lire les journaux du matin. Quand même, il aurait dû refermer les portes derrière lui !

Pilou et Jeanne regardent avec soin autour d'eux, et soudain cette dernière pousse un cri de stupeur.

— Regarde, Pilou ! Ces plans... ces croquis... là,

105

sur le bureau de ton père ! Ce sont les papiers sur lesquels il travaille en ce moment !

Pilou examine les papiers.

— Mais oui, dit-il enfin. C'est sa dernière invention. Jeanne ! Je n'arrive pas à le croire : il est parti comme ça, en laissant les portes ouvertes... avec ces précieux papiers sur la table ? C'est incroyable ! Et dire que tout à l'heure, il me disait qu'il fallait absolument les cacher soigneusement ! L'idée a dû lui sortir de la tête, c'est sûr !

— Écoute, Pilou. Cachons ces notes nous-mêmes. C'est certain, le voleur reviendra quand il s'apercevra que ces papiers sont indispensables pour comprendre ceux qu'il a déjà pris. Il ne faut pas qu'il les trouve !

— Je sais ! s'écrie le garçon après quelques secondes de réflexion. On pourrait les déposer dans l'île de Kernach ! Dans un coin secret du vieux château en ruine ! Personne n'aura l'idée d'aller les chercher là-bas !

— Bonne idée, opine Jeanne.

Elle réunit vivement les feuillets éparpillés et ajoute :

— Évidemment, il faut mettre François et les autres dans la confidence. Ils t'emmèneront cacher ces notes dans l'île. Partez le plus tôt possible !

Pilou prend les papiers et tous deux redescendent dans la cour. Là, ils tombent nez à nez avec le professeur qui, tout joyeux, vient à leur rencontre en annonçant :

— Ça y est ! C'est fait !... Le voleur peut bien revenir : mes précieux documents seront introuvables. Je viens de les enfouir dans la cave derrière les caisses de vin ! Ha ! ha ! ha !

Jeanne et Pilou échangent un coup d'œil. Tous deux pensent la même chose : le professeur a dû cacher autre chose que ses plans et croquis... sans doute ses journaux du matin ! Il est tellement distrait... Mais à quoi bon lui révéler son erreur ? Ça ne servirait à rien.

Il ne reste plus qu'à mettre les précieux feuillets à l'abri !

chapitre 13

Un plan

Pilou décide de se rendre au campement de ses amis et de les mettre au courant des événements de la nuit. Il part donc, Berlingot perché sur son épaule. Claude, François, Mick et Annie sont assis en cercle dans le pré et jouent aux cartes.

— Salut ! lance Pilou gaiement, oubliant la brouille de la veille. J'ai des nouvelles incroyables !

Et il raconte aux autres ce qui s'est passé pendant la nuit, sans oublier d'ajouter comment son père, croyant cacher ses précieuses formules, a enfoui de simples journaux sous les caisses de vin de la cave.

— Pourquoi tu n'as pas dit à ton père qu'il s'était trompé ? questionne Claude, étonnée.

— Si je l'avais fait, papa aurait emporté ses

109

vraies notes pour les cacher. Et il aurait oublié aussitôt ! Du coup, elles auraient été perdues à jamais.

— Mais toi, poursuit Mick, qu'est-ce que tu comptes en faire ?

— J'ai eu une idée de génie, déclare Pilou fièrement. Pourquoi on ne les cacherait pas dans... l'île de Kernach ? Hein ? Les papiers seraient en sûreté là-bas.

— Si loin ? dit François. Hum !... il faudrait peut-être mettre ton père au courant, quand même !

— Non, je ne crois pas. Vous voyez, papa n'a pas besoin de ces notes en ce moment pour continuer ses travaux. Mais, comme le cambrioleur va forcément revenir bientôt, il faut que les papiers soient loin d'ici.

— Moi aussi, j'ai une idée ! lance soudain Claude. Si on griffonnait un tas de chiffres sur des feuilles de papier ? Ils ne voudraient rien dire du tout, mais on les mettrait dans la tour, à la place des vraies notes. Du coup, le voleur n'emporterait que des faux papiers !

— Pas bête ! acquiesce François. Et pendant ce temps, les vraies notes de M. Lagarde seraient à l'abri dans l'île de Kernach.

— Je veux bien me charger de fabriquer les faux documents, suggère Annie. De nous tous, c'est moi qui sais le mieux dessiner.

— D'accord, accepte Claude. Et pendant ce

temps, j'irai cacher les vrais documents dans mon île !

— Non, non ! proteste Mick. Il faut attendre la nuit avant d'y aller. Si par hasard quelqu'un nous guette, en te voyant partir comme ça, on pourrait te suivre… D'ailleurs, où sont les papiers de ton père, Pilou ? Tu ne les as pas laissés à la villa, j'espère ?

— Bien sûr que non ! répond Pilou. Je les ai glissés là... sous mon pull, ajoute-t-il en se caressant l'estomac.

— Excellente technique ! le félicite l'aîné des Cinq avec un hochement de tête. Alors, Annie, comment tu veux procéder ?

— Je vais commencer par fabriquer de faux graphiques et de fausses formules, explique-t-elle. Mais pour ça, il me faut un peu de matériel.

— Eh bien, je peux aller t'en chercher dans la maison, propose Pilou. Une planche à dessin, un crayon et une équerre... Tu pourras t'inspirer des vraies notes que j'ai là, sous mon pull, pour fabriquer de fausses formules.

— Génial ! approuve Mick. Va chercher de quoi dessiner et reviens vite.

— Je t'accompagne ! décide Claude. Je t'aiderai à tout porter.

Tous deux partent en courant en direction de la maison. Heureusement, M. Lagarde n'est nulle part en vue. Pilou en profite pour dénicher une planche à dessin, quelques feuillets, une règle, un compas,

111

une équerre, un crayon, un stylo, et aussi un livre bourré de graphiques qu'il sera facile de copier. Il met aussi la main sur des punaises pour fixer les feuilles de papier sur la planche à dessin. Claude aide Pilou à transporter son butin.

Les deux enfants se dépêchent de traverser le jardin. Les autres les attendent dans le pré, de l'autre côté de la barrière. Claude et Pilou leur font passer le matériel de dessin avant de les rejoindre.

— Mission accomplie ! constate François. Bravo ! Maintenant, Annie, à toi de jouer ! On va tracer de magnifiques plans qui ne voudront rien dire !

— Il vaut mieux se mettre à l'abri, conseille la benjamine du groupe. Pas question que les gens du cirque se doutent de ce qu'on trafique !

Les cinq amis s'engouffrent dans la tente des filles, qui est la plus grande. Dagobert et Berlingot suivent. Annie se met au travail. Les autres la regardèrent opérer en silence, pleins d'admiration.

La fillette n'a pas beaucoup de place, mais elle arrive à tracer, rapidement et d'une écriture élégante, une longue série de formules et d'équations. Elle vient de remplir une demi-page quand Dagobert se met à gronder.

Aussitôt, Annie retourne la planche à dessin et s'assoit dessus. Au même instant la toile de la tente se soulève... et les enfants aperçoivent Charlie le chimpanzé qui leur sourit.

112

— Ouf ! Ce n'est que toi ! soupire François.

Le grand singe accentue son sourire grimaçant et tend la main. L'aîné des Cinq la serre gravement.

— Assieds-toi, Charlie, propose Mick. Enfin, si tu trouves une place. Je parie que tu es sorti de ta cage tout seul et que tu viens voir ce qu'on a pour déjeuner. Eh bien, j'ai le plaisir de t'apprendre qu'il y aura quelque chose pour toi si tu es bien sage.

Charlie réussit à se placer entre Dagobert et Berlingot. D'un air très intéressé, il se met à contempler Annie qui a repris son crayon et sa planche à dessin.

— Je suis sûre que ce chimpanzé serait capable de dessiner et d'écrire aussi bien que moi, si on lui mettait un crayon entre les doigts !

Mick, trouvant l'idée de sa sœur excellente, s'amuse à donner son calepin et son stylo à Charlie. Immédiatement, le grand singe entreprend de gribouiller.

— Ça alors ! Il essaie de m'imiter ! s'écrie Annie en se tordant de rire. Et il ne réussit pas si mal que ça.

— Il pourrait presque te remplacer, acquiesce François.

Puis il se tourne vers sa cousine et demande :

— Au fait, Claude, tu prévois toujours d'aller à l'île de Kernach ce soir pour y cacher les notes du professeur ?

— Bien sûr ! Dago me tiendra compagnie. On

113

fera la traversée tous les deux et je cacherai les papiers.

— Où ? questionne Mick.

— Je déciderai sur place. Dans un endroit sûr, en tout cas. Je connais les moindres recoins de ma petite île. On laissera les papiers dans leur cachette jusqu'à ce que le danger soit passé.

— Une chose est sûre, intervient soudain Annie, l'air très fière, si le voleur revient chercher le reste des notes, il prendra mes formules pour les vraies ! Regardez comme ce graphique est réussi !

Les autres, impressionnés, se penchent sur les chiffres et les dessins tracés par la fillette. Soudain, Dagobert recommence à gronder. Charlie lui tapote le cou comme pour dire :

« Qu'est-ce qui ne va pas ? »

Mais Dago ne fait pas attention au chimpanzé et, grognant plus fort, se précipite hors de la tente. Une voix s'écrie à l'extérieur :

— Bas les pattes ! Couché !

Claude sort à son tour de la tente... pour se trouver nez à nez avec M. Karkos. Le calculateur prodige paraît effrayé. Dagobert lui renifle les mollets d'une manière peu rassurante. Charlie rejoint le petit groupe et, comme il a une grande amitié pour M. Karkos, il se dresse devant Dagobert et montre les dents. Claude ouvre grand les yeux.

— Empêchez-les de se battre ! crie-t-elle au magicien.

— Calme, Charlie ! appelle M. Karkos.

Le singe abandonne tout de suite son attitude guerrière et va s'accrocher au bras du magicien. Entre-temps, Mick, François, Pilou et Annie ont surgi de leur tente.

— Il vous obéit au doigt et à l'œil ! commente Mick, ébahi.

— Bien sûr, je suis son maître, explique M. Karkos.

— Je pensais qu'il appartenait aux Barbarino, poursuit le garçon, surpris.

— Non, il fait partie de la troupe, mais il est à moi. D'ailleurs, je le cherchais : je voudrais qu'il donne un coup de main à Mady. Et j'en profite pour vous inviter à la représentation de ce soir ou à celle de demain ! Nous restons deux jours sur place, vous savez.

— Comptez sur nous ! répond Mick en remarquant que le calculateur a les yeux fixés sur les feuillets couverts de chiffres qu'Annie tient encore à la main.

Au même instant, la benjamine du groupe s'aperçoit de sa négligence et cache les planches à dessin derrière son dos. Quelque chose, dans le regard de M. Karkos, ne lui plaît pas. Après tout, les nombres, c'est sa spécialité. Il doit être capable de déchiffrer les formules les plus compliquées du professeur Lagarde… Serait-il mêlé à l'affaire du vol ?

M. Karkos tourne les talons et s'éloigne, suivi de Charlie.

François fronce les sourcils.

— Ce type est vraiment discret : aucun de nous ne l'a entendu s'approcher de notre tente. Je me demande s'il a surpris notre conversation.

— J'espère que non… enchaîne son frère. S'il a compris que Claude ira transporter les documents du professeur Lagarde à l'île de Kernach ce soir, il pourrait lui tendre un piège…

— Ça ne me fait pas peur, réplique sa cousine. Je ne risquerai rien puisque Dago m'accompagnera.

— Tu es sûre ? questionne François. Ça pourrait être dangereux… Je préfère y aller à ta place.

— Hors de question ! riposte Claude. Tu me prends pour une poule mouillée, c'est ça ?

— Non… mais comme je suis le plus grand, c'est à moi de prendre ce genre de risques !

Claude est tellement stupéfaite qu'elle reste bouche bée. Ses joues deviennent rouges de colère. Un éclair traverse son regard. Pourtant, après quelques secondes, elle desserre les mâchoires et, contre toute attente, répond d'une voix calme :

— D'accord. Fais comme tu veux !

— Parfait, acquiesce François, heureux et surpris que Claude ait cédé si vite.

François n'oublie qu'une chose : sa cousine finit toujours par obtenir ce qu'elle veut !

chapitre 14

Enquête

Les enfants suivent des yeux M. Karkos et le chimpanzé. Ils voient Charlie ramasser deux seaux vides et, sur un signe de son compagnon, se précipiter vers la droite.

— Il va où ? demande Annie, étonnée.

— M. Karkos a dû lui ordonner d'aller chercher de l'eau, estime Claude. Pour faire boire les chevaux, peut-être. Rappelle-toi ce que Cédric nous a raconté !

Claude ne se trompe pas. Charlie revient bientôt, portant de chaque main un seau plein.

— Eh bien, constate Mick, ce singe sait se rendre utile ! Ah ! Voilà Mady avec ses chevaux. Mais ce matin, elle porte un vieux pantalon. Ça change ! Regardez Charlie... Il pose les seaux à côté d'elle.

François observe les feuilles de papier sur lesquelles Annie a tracé avec tant de soin les chiffres et les plans.

— J'ai l'impression que ces faux documents ne nous serviront pas à grand-chose. Je suis sûr que M. Karkos a deviné qu'on fabriquait des formules secrètes. J'ai de plus en plus de soupçons sur lui…

— Moi aussi, enchaîne Pilou, d'un ton féroce. Je suis sûr que c'est quelqu'un du cirque, qui a volé les notes de mon père !

— Si on commençait tout de suite une petite enquête ? propose Claude. On pourrait rôder autour des caravanes et voir si on ne trouve pas une échelle assez longue pour atteindre le sommet de la tour.

— Bonne idée ! approuve Mick. Allons-y !

Le Club des Cinq, Pilou et Berlingot se dirigent vers le campement du cirque. Presque aussitôt, Mick aperçoit une échelle abandonnée dans l'herbe. Il donne un coup de coude à son frère.

— Eh ! Tu as vu ? Tu crois qu'elle est assez longue pour avoir servi au cambrioleur ?

François examine l'objet, l'air de rien. C'est sûr, l'échelle est longue, très longue même. Mais pas assez pour atteindre le sommet de la tour du professeur Lagarde. N'empêche, ce serait peut-être utile de savoir à qui elle appartient.

Au même instant, le contorsionniste passe près des jeunes enquêteurs. En les voyant, il sourit et, brusquement, paraît se disloquer devant eux. Il s'effondre en tas sur le sol, comme si ses os étaient en guimauve, et fait un demi-tour avec sa tête. Enfin, il noue ses bras autour de son corps. Annie ne peut retenir un cri.

— Arrêtez ! Je ne supporte pas de voir ça !

Comme s'il n'entendait pas, l'homme-serpent se tasse un peu plus sur lui-même, puis se met à ramper... comme un boa ! Les enfants l'applaudissent. Soudain, Mick fronce les sourcils. Il fixe le contorsionniste, puis lui demande vivement :

— Vous n'auriez aucun mal à grimper sur une échelle très haute ?

— Bien sûr ! répond l'acrobate, surpris. Je serais capable de la monter de face mais aussi de côté et même de dos.

— Et cette échelle, là-bas, elle vous appartient ? poursuit Claude en désignant celle qui repose sur l'herbe.

— Je m'en sers parfois... comme tout le monde ici ! Elle fait partie du matériel du cirque.

Il se redresse lentement, semblant se déplier. Il saute en équilibre sur ses mains, jambes fléchies, ses pieds touchant sa tête. Il avance de quelques mètres dans cette position.

— C'est l'échelle que vous utilisez pour monter le drapeau au sommet du chapiteau ? demande encore Mick qui tient à son idée. Elle ne me semble pas assez grande pour ça !

— En effet, reconnaît le contorsionniste en se

remettant debout sur ses jambes. Il en existe une autre, beaucoup plus longue. Elle est si lourde qu'il faut trois hommes pour la transporter. C'est la seule qui permette d'atteindre le haut du chapiteau.

Les enfants échangent des regards complices. S'il faut trois hommes pour porter la très longue échelle en question, cela la met hors de cause. Elle n'a certainement pas été utilisée pour le vol de la nuit précédente. Jeanne aurait entendu beaucoup plus de bruit.

— Il y a d'autres échelles dans le camp ? insiste Mick, tenace.

— Non, répond l'homme-serpent. Il n'y a que ces deux-là. Mais pourquoi vous intéressez-vous à nos échelles ? Vous avez l'intention d'en acheter une, ou quoi ?

Les jeunes enquêteurs prennent des airs gênés. Alors, le contorsionniste hausse les épaules puis, avec un sourire amical, poursuit son chemin.

— Si on allait jeter un œil du côté des trapézistes ? propose François. Ils doivent pouvoir grimper n'importe où. Ils sont tellement agiles ! Ils sont bien capables d'avoir escaladé le mur de la tour.

— Oh ! non ! Je ne crois pas ! déclare Pilou. J'ai bien examiné ce mur, ce matin. Évidemment, il est couvert de lierre jusqu'à mi-hauteur. Mais, au-delà, ce ne sont que des pierres lisses, sans la moindre prise. Même pour un acrobate, c'est impossible d'escalader un mur comme ça !

— Tiens ! s'exclame soudain Mick. Qu'est-ce que c'est que ça ?... Là, par terre, dans ce coin...

Claude se penche sur l'objet, qui ressemble à une fourrure gris sombre.

— Ça alors ! s'exclame-t-elle. C'est le costume de l'âne danseur !

— Oui ! Je le reconnais, confirme Pilou.

Tout heureux, il essaie de le ramasser, mais il est si lourd qu'il ne peut y arriver seul. Mick et Claude l'aident... et se glissent à l'intérieur. Mick, qui « fait » la partie avant de l'animal, s'aperçoit qu'à hauteur d'yeux, dans le cou de l'âne, deux trous ont été percés. La tête elle-même est bourrée de papier.

Claude, elle, a enfilé l'arrière. Elle se met à ruer joyeusement !

François, Pilou et Annie rient tellement fort qu'ils se tiennent les côtes. Soudain, une voix furieuse se fait entendre.

— Hé, là ! Ne touchez pas à ce costume !

C'est Cédric. Il arrive en courant. Il semble très mécontent. Quand il arrive près du faux âne, il lève le poing et se met à frapper la croupe ! La pauvre Claude pousse un hurlement de douleur.

— Aïe ! aïe ! aïe !... Arrête ! Ça fait mal !

Pilou foudroie Cédric du regard.

— Tu es fou, ou quoi ? s'indigne-t-il. Mick et Claude sont à l'intérieur !

Mais l'autre ne paraît pas entendre. Il continue

121

de frapper l'arrière de l'âne. Pilou, incapable de se contenir, se jette alors sur Cédric et tente de le maîtriser. Ce dernier se met à lutter, cramponné à son arme. Mais Pilou est déchaîné. Il lui décoche un coup de poing en pleine poitrine... et Cédric roule dans l'herbe.

— Tu vois ! s'écrie le fils de M. Lagarde, triomphant. Je t'avais prévenu que j'aurais ma revanche !

François s'interpose.

— Arrête, Pilou, dit-il. Et Mick, Claude, sortez de là. Dépêchez-vous ! J'aperçois M. Barbarino qui vient par ici.

Pendant ce temps, Cédric s'est relevé. Il tourne maintenant autour de Pilou, les poings à hauteur des épaules. Mais avant que les deux adversaires puissent se porter un seul coup, la voix de du directeur du cirque leur parvient.

— C'est fini, oui ?

Cédric fait semblant de ne pas entendre et lance son bras en avant. Pilou l'évite d'un bond souple et riposte. Cédric recule... et heurte son grand-père qui l'immobilise d'une poigne ferme.

Entre-temps, Claude et Mick ont retiré leur costume. M. Barbarino maintient son petit-fils furieux.

— La bataille est finie, déclare le directeur du cirque à Pilou et à Cédric. Si vous voulez absolu-

122

ment continuer, eh bien, *je* suis à votre disposition. Mes poings sont encore solides, vous savez !

Les deux garçons se tiennent l'un devant l'autre, l'air penaud.

— Allez ! Serrez-vous la main et faites la paix ! ordonne M. Barbarino. Plus vite que ça !

Pilou tend la paume à la seconde même où Cédric avance la sienne. Ils se sourient.

— Voilà ! approuve le vieil homme.

Il se tourne alors vers Claude et Mick.

— Et vous, si vous voulez emprunter cette peau d'âne, je n'y vois pas d'inconvénient. Seulement, vous devez d'abord demander la permission.

— Pardon, monsieur, s'excuse Mick avec un sourire un peu confus.

M. Barbarino s'en va. François détend l'atmosphère en adressant la parole à Cédric qui, gêné, ne sait s'il doit s'éloigner lui aussi ou rester.

— On a vu Charlie qui allait chercher deux seaux d'eau pour les chevaux, dit-il. Il est drôlement fort !

Cédric sourit, heureux que la paix soit faite. Il ne demande pas mieux que de profiter de la compagnie du Club des Cinq et de Pilou. Les six amis flânent un bon moment ensemble à travers le cirque, admirant une fois de plus au passage les superbes chevaux. Puis ils voient Franck, le lanceur de couteaux, qui répète son numéro, et aussi un petit acrobate qui se livre à une série de sauts et de bonds très impressionnants.

Berlingot paraît ravi de cette promenade. Il se précipite dans la caravane de M. Barbarino et en ressort avec une petite canette de jus de fruits. Mais, malgré ses efforts, il est incapable de retirer la capsule ! Dépité, il tend le flacon à Charlie, qui le débouche et... s'empresse d'en boire le contenu !

Les jeunes vacanciers s'amusent beaucoup de l'air furieux du petit singe. C'est alors qu'une voix lointaine appelle :

— Pilou ! Pilou ! À table !

Berlingot est le premier à entendre. Il se précipite à toute allure à travers le pré et se dépêche d'escalader la barrière du jardin de la villa.

— C'est Jeanne qui nous appelle ! reconnaît Pilou. Elle a dû nous mijoter un bon petit plat. Vous venez ?

Après avoir dit « au revoir » à Cédric, François, Mick, Claude et Annie suivent leur ami en direction de la maison.

— Nous voilà, Jeanne ! crient-ils en courant. Nous voilà !

chapitre 15

Disparition

Deux minutes plus tard, les enfants sont à table.

— Hmm… ça a l'air délicieux ! observe Pilou, en se frottant l'estomac d'un air gourmand.

Le repas est très joyeux. Le professeur Lagarde, absorbé dans ses travaux, a demandé à être servi dans son bureau. Jeanne lui a porté un plateau bien garni. Aussi, les enfants peuvent discuter et plaisanter sans craindre de le déranger.

Berlingot, de son côté, n'arrête pas de pousser ses petits cris et de chiper quelques morceaux de pain à droite et à gauche. Il en fait profiter Dagobert, allongé sous la table comme d'habitude. Claude est la première à aborder le sujet de l'enquête.

— Pour résumer, dit-elle, on n'a pas vu au cirque

125

une seule échelle capable d'atteindre le sommet de la tour.

— Exact, renchérit François. Finalement, peut-être que M. Karkos n'a rien à voir avec cette histoire de vol. Je ne l'imagine pas du tout en train de monter à une échelle. Quant aux autres gens du cirque, il n'y en a aucun, à mon avis, qui voudraient se procurer les papiers du professeur.

— Et puis ils sont tous si gentils ! souligne Annie.

— Oui… murmure Mick. Mais quand même : n'oubliez pas que M. Karkos se passionne pour les calculs compliqués et les inventions de génie.

— Et comment il aurait procédé ? interroge Claude. Il n'existe pas d'échelle assez longue pour atteindre le haut de la tour. Et même s'il y en avait une, je ne pense pas qu'il pourrait monter tant d'échelons. Sans compter qu'il risquait d'être surpris.

— C'est vrai qu'il n'a pas l'air d'aimer les acrobaties, opine Pilou. Je crois qu'on peut le rayer de la liste des suspects. N'empêche, je me demande bien *comment* les papiers de papa ont disparu !

— Et si ton père était somnambule ? hasarde Annie. Il paraît que les gens qui marchent dans leur sommeil sont capables de faire n'importe quoi. Au réveil, ils ne se souviennent plus de rien !

— Non, réfute François en secouant la tête. Je ne pense pas qu'un somnambule puisse aller jusqu'à utiliser trois clefs différentes, puis retourner

126

tranquillement se coucher après avoir refermé plusieurs portes.

— Et puis, ajoute Pilou, je le saurais, si papa était somnambule ! Ce n'est pas lui qui a pris ces papiers ! C'est quelqu'un d'autre !

— Plus j'y réfléchis, dit François, plus je suis convaincu que la personne qui s'est donné tant de mal pour voler ces papiers devait les vouloir à tout prix. Il y avait des risques terribles à courir !

— Heureusement qu'on a pu récupérer les documents ! souffle Annie. J'ai hâte qu'ils soient à l'abri. Tu les as toujours sous ton pull, Pilou ?

— Non, je les ai donnés à Claude…

— Ils seront plus en sûreté avec moi, intervient celle-ci avant même que Pilou ait fini sa phrase. Maintenant, il faut arrêter de parler de cette affaire, sinon quelqu'un finira par nous entendre !

Le repas se termine. Les enfants aident Jeanne à débarrasser la table. Puis Mick interroge :

— On fait quoi, cet après-midi ?

— Si on allait se baigner dans la mer ? propose sa cousine qui n'est jamais aussi heureuse que dans l'eau.

— Il fait un peu frais, répond Annie, mais on se réchauffera en courant sur la plage après avoir fait trempette.

La petite troupe se précipite sur la plage. Quelques instants plus tard, le Club des Cinq et Pilou s'amusent dans l'eau. Berlingot est le seul à ne pas participer à ces réjouissances. Il n'aime pas beaucoup se mouiller. Il trempe l'une de ses petites pattes dans l'eau, pousse un cri, et s'enfuit à toute vitesse le long de la plage. Il a peur que Pilou ne l'attrape et l'oblige à se baigner avec lui !

Dagobert, en revanche, a presque autant de plaisir que Claude à nager parmi les vagues. Il se débrouille très bien. Son humeur malicieuse le pousse même à jouer un tour à Pilou. Il plonge sous le jeune garçon, le soulève hors de l'eau et puis... *plouf*... le laisse retomber en plongeant de nouveau. Pilou, surpris, boit la tasse.

— Dago ! s'exclame-t-il en remontant à la surface. Attends un peu que je t'attrape ! Je te ferai boire un coup moi aussi !

Il va pour se jeter sur le chien, mais celui-ci lui échappe ! Il pousse un aboiement sonore et va rejoindre Claude, la gueule grande ouverte, comme s'il riait !

Les enfants rentrent à temps pour le goûter. Jeanne leur sert du chocolat au lait accompagné de tartines de beurre et d'un énorme cake qu'elle a fait elle-même. Après s'être régalés du délicieux en-cas, Mick propose une petite promenade dans les environs. C'est Dagobert qui est content ! Il aime tellement courir et sauter !

Tout en déambulant le long du sentier de la falaise, François en revient à son programme pour la soirée.

— Je prendrai mon vélo et je partirai pour Kernach dès qu'il fera nuit, explique-t-il. Je suppose que ton bateau est attaché à l'endroit habituel, Claude ?

Sa cousine se contente de hocher la tête.

— Très bien, poursuit l'aîné des Cinq. N'oublie pas de me donner les papiers avant que je me mette en route ! Il ne manquerait plus que je les laisse derrière moi ! Ce serait le comble !

— Mais François, intervient Annie, si tu es en route pour l'île ce soir, on ne pourra pas assister au spectacle des Barbarino ! Tout le monde remarquerait ton absence et ça sèmerait le doute…

— Tu as raison, acquiesce son frère. Heureusement, il y a une autre représentation demain.

Les enfants dînent de bonne heure. Puis, prétextant se sentir fatigués, ils souhaitent bonne nuit à Jeanne et regagnent leurs tentes. La cuisinière ferme la porte de la villa à clef derrière eux. Elle ne tient pas à ce qu'il y ait un nouveau cambriolage ! L'heure du départ de François approche...

Annie se glisse dans son sac de couchage.

— Tu ne viens pas dormir ? demande-t-elle à sa cousine, qui passe la tête dehors.

— Si, si… répond Claude. Je te rejoins dans cinq minutes. Dago a envie d'une dernière promenade.

Et avant même qu'Annie ait le temps de réagir, elle sort de la tente et s'enfonce dans les ténèbres, suivie de Dagobert à la fois étonné et ravi.

129

François et Mick se sont déjà retirés sous leur propre tente, après avoir invité Pilou à se joindre à eux. Ils discutent un bon moment, enroulés dans leurs duvets. De temps en temps, l'aîné des Cinq consulte sa montre. Enfin il se lève et, écartant le pan de toile, regarde dehors.

— Cette fois, annonce-t-il, il fait complètement nuit. La lune ne va pas tarder à se lever. Je vais aller demander les papiers à Claude, puis je partirai pour Kernach.

— Tu as préparé ton vélo ? questionne Mick. Parfait ! Pense aussi à prendre une lampe de poche.

— Je l'ai sur moi, assure son frère. Et les piles sont toutes neuves !

Il se faufile dehors et s'approche de la tente des filles.

— Hé ! Claude ! appelle-t-il à mi-voix. Donne-moi les papiers du professeur Lagarde !

Comme personne ne répond, il passe la tête dans la tente et n'aperçoit que sa sœur, déjà endormie. Sous le faisceau lumineux de la torche électrique, Annie cligne des yeux.

— Où est Claude ? demande son frère.

— Quoi ? Elle n'est pas là ? murmure la fillette, encore mal réveillée.

Elle marque un temps et réfléchit. Soudain, elle ouvre grand les paupières et s'exclame :

— Oh ! Je sais ce qu'elle a fait ! Sous prétexte

de promener Dago, elle a dû partir pour l'île de Kernach ! Elle avait les papiers sur elle !

François jette un coup d'œil alarmé en direction des bicyclettes.

— Tu as raison… son vélo a disparu ! Vite, il faut que je la retrouve !

Mick, qui a tout entendu, apparaît dans l'embrasure de la tente et annonce :

— Je viens avec toi !

Il n'y a pas de temps à perdre. Pilou est expédié à la villa pour mettre Jeanne au courant des événements. François et Mick enfourchent leurs vélos et s'élancent dans la nuit, cœurs battants.

chapitre 16

L'embuscade

Le beau croissant de lune qui monte à l'horizon n'est certainement pas suffisant pour dissiper les ténèbres environnantes. Claude se réjouit de voir que la lanterne de sa bicyclette brille si fort. Des ombres menaçantes semblent tapies contre les haies, des deux côtés de la route.

— Comme si c'étaient des gens prêts à nous sauter dessus… souffle-t-elle à Dagobert.

Dago, qui suit en courant, est bien trop essoufflé pour répondre, même par un faible aboiement. Sa maîtresse pédale à toute vitesse.

Parfois, des voitures surgissent dans les virages de la route de Kernach, avec leurs phares éblouissants. Alors, Claude roule tout contre le fossé de

133

droite et appelle Dago auprès d'elle. Elle a tellement peur qu'il se fasse écraser !

— S'il t'arrivait quelque chose, Dag, je ne me le pardonnerais jamais !

Enfin, les deux compagnons atteignent Kernach. Des lumières brillent encore çà et là. Claude traverse le village et débouche sur la baie. À cet instant, la lune sort de derrière un nuage.

— Là-bas ! Je vois mon île, Dago ! dit-elle à son chien d'une voix vibrante de fierté. Mon île à moi ! Mon île qui m'attend !

— Ouah ! répond le chien, encore haletant.

Il se demande ce que sa maîtresse va faire, maintenant. Pourquoi les autres ne l'ont-ils pas accompagnée ?

Claude descend sur la plage avec son vélo et le cache derrière une cabine. Elle revient ensuite au bord de l'eau, là où plusieurs barques sont amarrées. Elle contemple la mer… avant de pousser une exclamation.

— Dag ! Il y a de la lumière sur mon île. Regarde ! Sur la droite ! Tu la vois ? Elle clignote…

Dago regarde dans la direction indiquée. Lui aussi aperçoit une petite lumière. Il donne un coup de patte à Claude, comme pour lui faire comprendre qu'il vaut mieux faire demi-tour.

— Non, Dag ! Je ne rentrerai pas avant d'avoir tiré cette histoire au clair et caché les documents du professeur Lagarde. Regarde, je les glisse sous la

134

bâche de ce canot... là... comme ça ! Ce serait trop bête de les transporter sur l'île et de me les faire arracher à l'arrivée !

Tout en parlant, Claude fourre les précieux documents sous la bâche recouvrant le fond.

— Ce bateau appartient à M. Le Floch, reprend-elle. Je le connais. Il est très gentil. Je suis sûre qu'il accepterait que je mette les papiers dans son bateau. Voilà ! Je suis prête !

Elle se relève et regarde de nouveau vers l'île. La lumière reparaît puis, soudain, il y a une nouvelle éclipse. Claude sent la colère monter en elle. Elle se met à la recherche de son propre canot.

— Je le vois ! Viens, Dago !

Le chien saute immédiatement dedans, d'un air déterminé. Sa maîtresse pousse la coque et l'embarcation glisse dans la mer. Claude bondit dedans, attrape les rames. D'un geste assuré, elle écarte le bateau du rivage.

— Il n'y a pas beaucoup de courant, explique-t-elle à son compagnon. C'est une chance. Et maintenant, allons voir qui s'est permis d'aller sur mon île ! N'aboie pas, Dago ; il ne faut pas alerter ces inconnus…

Dagobert approuve d'un faible gémissement. Sa maîtresse continue de ramer le plus silencieusement possible.

Arrivée tout près de l'île de Kernach, elle chuchote :

135

— On y est ! Voilà le petit embarcadère où j'amarre mon bateau, d'habitude. Mais on va le dépasser. Là ! Je fais glisser le canot sous ces arbres. Il ne faut pas qu'on le voie.

Très concentrée, elle dirige son embarcation sous les branches d'arbres touffus qui, même en plein jour, suffiraient à dissimuler le petit canot. Elle attache celui-ci à un tronc et, d'un bond souple, saute à terre.

— Viens, Dag... On va faire le tour pour aborder de l'autre côté.

Elle s'arrête net, les yeux fixés sur un autre bateau, inconnu, tiré sur le sable d'une petite crique.

— Le canot de nos ennemis ! articule-t-elle dans un souffle.

Soudain, elle a une idée.

— La mer a presque fini de monter, murmure-t-elle. Tu sais ce que je vais faire, Dago ? Une bonne poussée jusqu'à l'eau et ce canot s'en ira tout à l'heure avec la marée descendante.

Aussitôt, elle détache la corde qui retient l'embarcation et pousse celle-ci à l'eau.

— Bon voyage ! ricane-t-elle. Ça leur apprendra !

Un peu essoufflée, elle remonte sur la berge, Dago à ses côtés.

— Et maintenant, il n'y a plus une minute à

perdre, murmure-t-elle. Il faut retrouver la lumière clignotante...

Quelques instants plus tard, elle l'aperçoit de nouveau. Cette fois, elle peut l'identifier.

— Ce n'est pas un feu de camp, mais une grosse lanterne. On dirait qu'elle est posée sur le rebord d'une fenêtre du château. En avant, Dago. Et en silence !

Claude et Dago continuent à avancer sans bruit. Ils atteignent bientôt le vieux château en ruine qui se dresse au centre de l'île. Claude s'arrête alors, tend le cou... et distingue deux hommes dans la cour dallée. Ils ont posé une lanterne dans l'embrasure d'une fenêtre étroite mais, pour en voiler l'éclat, ils ont tendu devant un bout de couverture. Seulement, ils ne se sont pas rendu compte que la brise, en soulevant de temps en temps le lambeau d'étoffe, découvre la lanterne, révélant leur présence.

Claude reste en embuscade : elle prend Dago par le collier et lui tapote le flanc. Le chien comprend parfaitement. Ce geste signifie : « N'aboie pas, ne grogne pas, ne bouge pas. » Il obéit donc, mais les poils de son cou se hérissent.

Les deux hommes sont occupés à jouer aux cartes à la lueur de leur lanterne. Claude plisse les yeux... alors, elle reconnaît l'un d'eux et retient un cri de stupéfaction : M. Karkos, le calculateur prodige du cirque Barbarino ! L'autre personnage, lui, est inconnu. C'est un homme bien habillé, dont

137

l'expression du visage est grave et tendue. Au bout d'un moment, il jette ses cartes et, d'un ton irrité, lance à son compagnon :

— Tu es sûr que quelqu'un doit venir ce soir cacher le reste de ces documents ? Le temps me semble long... et je ne vois rien arriver... J'ai beau tendre l'oreille, je n'entends personne. Le sentier est pourtant plein de pierres. (C'est justement pour cela que Claude a pris l'ennemi par-derrière !)

— Puisque je vous le dis, riposte M. Karkos.

— De toute façon, on n'a pas d'autre choix qu'attendre, grommelle l'inconnu. Les premiers papiers sont intéressants mais il est impossible de les utiliser sans les autres. Le savant à qui tu les as pris est un vrai génie. Si on réussit à mettre la main sur la totalité de ses notes, alors on sera riches ! Ces papiers valent une fortune... Mais, pour ça, il me faut les feuillets manquants !

— Et moi, je vous répète que ces papiers seront ici ce soir, insiste M. Karkos. J'ai entendu les gosses en parler.

— Au fait, reprend l'autre, tu ne m'as jamais dit : qui s'est chargé de voler les premiers documents ?

— Pas moi, assure Karkos. Je garde les mains propres. Je ne vole pas !

Son compagnon lâche un rire grave.

— Tu préfères laisser les autres faire le sale boulot à ta place, pas vrai ? Ha ! Ha ! M. Karkos, le magicien, ne veut pas se salir les mains ! Il aime

138

mieux rester dans l'ombre et se remplir discrètement les poches. Tu es très malin, et je ne voudrais pas t'avoir pour ennemi. Alors, explique-moi comment tu t'es débrouillé pour avoir ces papiers ?

— En utilisant mes yeux, mes oreilles et mon cerveau, répond Karkos d'un ton énigmatique Je suis plus intelligent que la plupart des gens. C'est ce qui fait ma force, vous savez.

— Non, je ne « sais » pas ! proteste l'autre. Je te rappelle que je suis seulement ton associé dans cette affaire.

Claude écoute toute la conversation d'une oreille très attentive. Son cerveau bouillonne. Il *faut* faire quelque chose ! Mais quoi ? Tendre une embuscade ? Oui, pourquoi pas… Petit à petit, elle imagine un plan… risqué, sans doute, mais Claude n'est pas le genre à reculer devant le danger. Elle colle sa bouche contre l'oreille de Dago, immobile à côté d'elle.

— Attention, Dag ! C'est ici que j'interviens. Mais pas toi. Reste là. Ne bouge pas. Dès que je t'appellerai, vole à mon secours en aboyant de toutes tes forces !

Alors, laissant le chien derrière un pan de mur écroulé, Claude surgit soudain devant les deux hommes stupéfaits, en pleine lumière.

Karkos et son complice bondissent.

— De quel droit avez-vous débarqué sur mon

île ? s'écrie-t-elle d'une voix furieuse. Elle m'appartient ! Allez-vous-en tout de suite ou alors…

— Hé ! Doucement ! Doucement ! proteste M. Karkos qui semble immense, à la lueur de la lanterne. Comme ça, les garçons n'ont pas osé venir eux-mêmes ? Ils t'ont envoyée pour cacher les documents dans l'île. Ce n'est pas très courageux de leur part. Allez, donne-moi ces papiers ! Où sont-ils ?

— Je les ai cachés avant de venir, rétorque Claude d'un air narquois. Et vous ne les trouverez jamais !

— Écoute, si tu me remets les papiers, je te donnerai une grosse somme d'argent.

Claude fait mine d'hésiter un moment. Puis elle paraît céder.

— Très bien, conclut-elle. Puisque vous êtes prêts à me payer, venez ! Je vais vous conduire à la cachette des documents.

Elle tourne le dos aux deux hommes comme pour leur montrer le chemin. M. Karkos fait un clin d'œil à son complice.

« Suivons-la, semble-t-il dire, puis on lui arrachera les papiers, et on se sauvera sans lui donner un sou. Seulement, attention au chien ! »

Tous trois se mettent en route en direction du rivage, suivis de Dago qui gronde sur les talons des deux bandits. Ils arrivent bientôt à l'endroit où ceux-ci ont laissé leur bateau. M. Karkos pousse un cri :

— Le canot ! Il a dû se détacher...

— Attendez, dit Claude en grimpant sur un rocher en hauteur. La marée a dû l'entraîner... oui, oui... je le vois. Il est là... Regardez !

Les deux hommes se dépêchent de la rejoindre sur son perchoir et se penchent au-dessus de l'eau. Soudain, les deux mains en avant, Claude les pousse de toutes ses forces. Les bandits tombent dans la mer tête la première. Le plan de Claude a réussi ! Elle s'est débarrassée de ses ennemis. Dago salue l'exploit de sa jeune maîtresse par de joyeux aboiements.

Claude se penche vers ses victimes qu'elle entend pester et se débattre au-dessous.

— Inutile d'essayer de nager jusqu'à la côte ! leur crie-t-elle. Le courant est contre vous et, de toute façon, c'est trop loin ! Je vous conseille de vous réfugier là-bas, sur la petite plage de mon île, jusqu'à ce que la police vienne vous délivrer !

Tout ce que les deux bandits peuvent faire, c'est suivre son conseil. Alors qu'ils contournent l'île avec des mouvements de brasse maladroits, Claude rejoint son propre canot caché sous les arbres et, triomphante, met le cap sur la côte.

Le triomphe de Claude

Quand Claude est bien certaine que les deux bandits ne peuvent plus la rattraper à la nage, elle laisse éclater sa joie. Tout en ramant, elle se met à chanter à pleine voix. Dagobert ponctue les refrains de « ouah ! ouah ! » pleins d'entrain. Il est ravi d'avoir vu les deux hommes dégringoler dans l'eau !

La lune a disparu derrière un gros nuage, et la nuit est sombre. Le chien, debout à l'avant, tente de percer l'obscurité. Soudain, il aperçoit une lueur qui brille sur la plage. Il avertit Claude par un aboiement. Claude tourne la tête et voit à son tour la lumière.

« Tiens… se dit-elle. C'est peut-être un pêcheur ? Il m'aidera à tirer mon bateau au sec ! »

Pourtant, la maîtresse de Dagobert se trompe.

143

Ce n'est pas un pêcheur... mais François et Mick !
Ils sont arrivés quelques minutes plus tôt pour
découvrir que le canot de leur cousine n'est plus là.

— Trop tard. Elle est déjà partie ! s'écrie
François. Il faut en emprunter un autre pour aller
la rejoindre !

Mais il a à peine fini sa phrase que, soudain,
les deux garçons entendent chanter dans la nuit,
puis des bruits de rames dans l'eau… Un bateau
se rapproche du rivage. La lune reparaît... et Dago
reconnaît tout à coup François et Mick. Il se met à
aboyer joyeusement. Claude comprend et force son
allure autant qu'elle le peut. Elle accoste enfin, saute
à terre. Déjà ses cousins sont à ses côtés et l'aident
à tirer le canot hors des vagues. Tous deux sont tellement soulagés qu'ils l'embrassent vivement.

— Alors ? lance enfin Mick, les yeux brillants.
Tu as caché les papiers ?

— Pour tout avouer, déclare-t-elle avec malice,
j'ai fait mieux que ça... En arrivant ici, j'ai aperçu
une lumière sur l'île. Alors j'ai pris mon bateau, j'ai
fait la traversée. Et devinez qui j'ai trouvé là-bas…
M. Karkos et un autre type ! Ils m'ont tout de suite
demandé les documents.

— Oh ! s'écrie François. Tu les leur as donnés ?

— Bien sûr que non ! Je les avais déjà enfouis
dans un endroit sûr. Tu me prends pour une idiote,
ou quoi ? Je ne serais pas allée me jeter dans la

144

gueule du loup avec les formules de M. Lagarde sur moi !

— Mais, Claude, si tu te doutais que quelqu'un t'attendait sur l'île, pourquoi y être allée quand même ? interroge l'aîné des Cinq. C'était risqué !

— Je n'étais pas sûre... mais, à vrai dire, j'avais très envie de démasquer nos ennemis, si c'étaient bien eux qui se trouvaient là-bas !

— Tu es vraiment courageuse ! murmure François, admiratif. Je sais que Dagobert était avec toi, mais quand même... Enfin, l'essentiel est que tu aies échappé à ces bandits. Comment tu as fait ? Ils ne se sont pas lancés à ta poursuite dans leur bateau ?

— Impossible, répond Claude avec un sourire malicieux. En débarquant sur l'île, je l'avais aperçu sur le sable. Je l'ai lâché dans la mer pour qu'il soit emporté par le courant. Il doit dériver très loin au large, maintenant !

— Incroyable ! Bravo ! la félicitent ses cousins d'une même voix.

Et tous trois se mettent à rire. Ils imaginent la tête que doivent faire les bandits, prisonniers sur l'île de Kernach !

— Pour finir, j'ai crié à Karkos et son complice qu'ils n'avaient qu'à attendre sur la petite plage... et que j'enverrais la police les délivrer demain matin ! Ils ne peuvent pas quitter l'île à la nage. La côte est trop loin.

145

— Finalement, reconnaît François, tu as eu raison d'aller sur l'île à ma place. Je me serais moins bien débrouillé que toi !

— Tu me connais, réplique Claude avec un sourire en coin. Quand je veux quelque chose…

Elle bâille et s'étire les bras.

— Ouf ! Je commence à me sentir fatiguée.

— Il y a de quoi ! acquiesce Mick avec conviction. Rentrons vite maintenant. Demain, à la première heure, on préviendra les gendarmes... Mais avant tout il faut reprendre les papiers, Claude. Ils sont où ?

— Là ! Sous la bâche du canot de M. Le Floch.

François s'empare des documents. Puis, tous trois reprennent leurs vélos et s'élancent sur le chemin du retour, Dagobert sur leurs talons. Quand ils rejoignent leurs tentes, ils sont accueillis par Annie, Pilou et aussi Jeanne. La cuisinière, très inquiète, est sur le point de téléphoner à la gendarmerie. Dès qu'il voit apparaître Claude et les garçons, tous sains et saufs, le trio pousse des cris de joie.

À peine arrivée, Claude raconte son aventure sur l'île de Kernach. Tous écoutent son récit avec attention. À la fin, Pilou l'applaudit énergiquement.

— Merci, Claude ! Grâce à toi, l'invention de papa restera secrète aussi longtemps qu'il le faudra !

— Sauf si tu racontes encore à des inconnus où

146

il cache ses papiers ! rétorque-t-elle avec un clin d'œil. Maintenant, je vais me coucher ! Bonne nuit à tous !

Et elle file se fourrer dans son sac de couchage et dormir, dormir...

Elle a depuis longtemps sombré dans un profond sommeil que les autres sont encore là, réunis devant sa tente, à se raconter les péripéties de l'embuscade, à répéter leur admiration pour l'héroïne.

Le lendemain matin, tout le monde se réunit à la villa du professeur Lagarde, pour le petit-déjeuner. Dès le réveil, Jeanne a téléphoné au commissariat pour prévenir que deux bandits attendent d'être arrêtés sur l'île de Kernach. Le repas tire à sa fin quand Cédric arrive, très ému.

— Eh ! s'exclame-t-il. Vous savez que M. Karkos a disparu ? Hier, il avait dit qu'il ne pouvait pas faire son numéro. Et, ce matin, sa caravane est vide. Son lit n'est même pas défait. Le pauvre Charlie est tout triste. Il refuse de manger.

— On peut te dire *exactement* où se trouve Karkos... réplique François. Sur une île au large de Kernach... en train de se faire arrêter par la police !

Mais il n'a pas le temps d'aller plus loin. Déjà Pilou a rejoint Cédric et l'entraîne en direction du cirque. Il n'a qu'une idée en tête : le pauvre Charlie, désespéré de la disparition de son maître, qui se laisse mourir de faim !

147

En arrivant devant la cage du gros singe, il dit à Cédric :

— Entrons tous les deux. J'ai apporté des bananes. On va essayer de les lui faire manger.

— Je n'ai pas le temps, mon grand-père m'attend. Mais vas-y, toi !

Et Cédric tourne les talons. Pilou pénètre donc seul dans la cage. Il s'assoit tout près de Charlie et lui offre une banane. Le chimpanzé reste sans bouger dans son coin. Navré, Pilou le contemple, quand son oreille perçoit un curieux petit bruit : tic-tac, tic-tac, tic-tac...

« On dirait une montre », songe Pilou, intrigué.

Et il se met à fouiller dans la paille qui recouvre le sol. Soudain, sa main rencontre un objet rond. Il le sort précipitamment et reste muet d'étonnement.

— Ça, alors ! murmure-t-il... Voilà qui explique tout !

Brusquement, Charlie paraît sortir de sa torpeur. D'un bond, il se jette sur le garçon et lui arrache la montre des mains. Après quoi, il l'enfouit à nouveau dans la paille, comme un trésor très précieux.

Mais, déjà, Pilou se dépêche de quitter la cage et prend à toute allure le chemin de la villa. Essoufflé, il rejoint les autres qui sont encore à table.

— Écoutez ! hurle-t-il. Je sais qui a volé les documents dans la tour ! Je connais celui qui a grimpé le long du mur pour passer par la fenêtre !

— Qui ? questionne tout le monde en chœur.

 148

— Charlie le chimpanzé ! déclare Pilou d'un ton triomphant. On aurait dû s'en douter depuis longtemps. Il est capable de monter n'importe où, avec ses quatre mains ! ... et de se laisser glisser ensuite pour redescendre !

— Mais oui ! répond Jeanne. C'est donc ça, le drôle de bruit que j'ai entendu !

— Et les chuchotements, c'était Karkos qui donnait ses ordres au chimpanzé, conclut François. Je comprends mieux pourquoi il l'a si bien dressé !

— Ça explique aussi pourquoi *tous* les papiers n'ont pas été volés, enchaîne Mick. Les documents étaient si nombreux que Charlie n'a pu en prendre qu'une partie. Mais dis donc, Pilou, comment tu sais que c'est lui le voleur ?

— Très simple. Vous vous rappelez la montre qui avait disparu la nuit du vol en même temps que les papiers de mon père ? Eh bien, je l'ai retrouvée tout à l'heure, cachée dans la litière de Charlie.

— Ce M. Karkos est une vraie ordure… marmonne Claude. Dompter un chimpanzé pour lui apprendre à voler, c'est horrible ! À mon avis, on découvrira pas mal de butin dans la caravane de cet escroc. Et il ira sans doute en prison !

— Mais dans ce cas, intervient Annie, que deviendra le pauvre Charlie ?

— Ne t'inquiète pas pour lui ! déclare Pilou. Cédric en prendra soin.

— Alors, c'est la fin de l'aventure ? questionne la benjamine du groupe.

Les autres posent leurs cuillers et tous échangent des sourires complices.

— La fin de celle-ci, peut-être… dit François, avec malice. Mais tu sais bien qu'avec le Club des Cinq, l'aventure n'est jamais terminée !

Quels autres mystères
le **C**lub des **C**inq
doit-il résoudre ?

**Pour le savoir,
regarde vite la page suivante !**

● ● ● ● ● ● ● ● ● ● ● ● ● ● ●

Les as-tu tous lus ?

1. Le Club des Cinq
et le trésor de l'île

2. Le Club des Cinq
et le passage secret

3. Le Club des Cinq
contre-attaque

4. Le Club des Cinq
en vacances

5. Le Club des Cinq
en péril

6. Le Club des Cinq
et le cirque de l'Étoile

7. Le Club des Cinq
en randonnée

8. Le Club des Cinq
pris au piège

9. Le Club des Cinq
aux sports d'hiver

10. Le Club des Cinq
va camper

11. Le Club des Cinq
au bord de la mer

12. Le Club des Cinq
et le château de Mauclerc

e Club des Cinq
et gagne

14. La locomotive
du Club des Cinq

15. Enlèvement
au Club des Cinq

16. Le Club des Cinq
et la maison hantée

e Club des Cinq
s papillons

18. Le Club des Cinq et
le coffre aux merveilles

19. La boussole
du Club des Cinq

20. Le Club des Cinq et
le secret du vieux puits

Suis le Club des Cinq
dans chacune de ses
Aventures !

Table

Composition MCP - *Groupe JOUVE* - 45770 Saran
N° 015523H

Imprimé en France par Jean Lamour - Groupe Qualibris
Dépôt légal : mai 2010
20.20.2028.7/01 - ISBN 978-2-01-202028-3

Loi n° 49-956 du 16 juillet 1949
sur les publications destinées à la jeunesse.